編著 河上源一　監修 ブルース・ハード

本書は2013年3月刊行の『カラー版 TOEIC®テストに でる順英熟語』の改訂版です。　KADOKAWA

まえがき

本書は 2003 年の刊行以来，読者のご支持を得て版を重ねてきましたが，この度，全面的に改訂して，再出発することになりました。

「TOEIC テストにでる順」という基本コンセプトはそのままに，新たに，いくつかの要素を加えて，単調になりがちな熟語学習に楽しく取り組めるような，そして，反復学習のしやすい構成に改編しました。

※ ここで言う「TOEIC」は，厳密には「TOEIC L&R」を指しますが，語彙に関しては，その他のテストも「L&R」の範囲内ですので，以下区別せず使います。

まず，この本に収録してある「熟語」が，どのようなものかを述べておきます。

本書では，「熟語」を，かなり広い意味でとらえています。「2 語以上で，まとまって 1 つの意味を表すもの」くらいに考えてください。「まとまり」が文全体，つまり定型文まで取り上げています（詳しくは，5 ページの「本書の特長と使い方」をご覧ください）。

さて，問題は，熟語をどうやってマスターするかということです。よく，単語や熟語は，たくさんの文章を読んだり聞いたりして，文章の中で理解すべきだという意見を聞きます。確かに，これは正論です。しかし，限られた時間の中で，マスターすべき単語・熟語にすべて触れることができるかというと，なかなか難しいのではないでしょうか。

そこに，この本の役割があります。もちろん，TOEIC にでる熟語を，コンピューター分析に基づいて提示することも 1 つの目的ですが，この本の意図するところはその先にあります。

それは，TOEIC によくでる熟語を，実際に TOEIC にでる英文の形で提供する，ということです。

TOEIC には，その名称（Test of English for International Communication）が表すとおり「国際コミュニケーション」のための英語，具体的には，リスニングでは，オフィス，店頭，会議などでの会話から，ラジオ・テレビのニュースや空港などでのアナウンスまで，またリーディングではビジネスメール，新聞・雑誌の記事などから，契約書のような少し改まったものまで，相当に幅広い分野の英語が出されます。

本書では，例文によって，このような TOEIC にでる幅広い英語に触れていただくことができるようになっています。リフレッシュ用に，人生の真理を考えさせる「名言」や「ことわざ」も，ところどころに入っています。

端的に言えば，読んで楽しい熟語集が本書のスローガンです。

ぜひ，ご活用いただき，TOEIC 得点の向上にお役立てください。

2023 年 11 月　編著者

本 書 の 特 長 と 使 い 方

❶ 収録語を 5 つのパートに

今回の改訂にあたって，日本・韓国で出版されている「公式問題集」，日本および英・米で出版されている「模擬問題集」などを，あらためてデータ化し，最新のデータベースを再構築して，すべての熟語の頻度を調べ直しました。そして，**上位約 900 語を選び出し**，それらを **5 つのパートに分類**しました。

Part 1 は，**最も頻度の高いもの**を集めてあります。目標点数に関係なく，最初にマスターしてください。

Part 2 ~ 5 は，**レベル別**に分けてあります。学習の効率を高めるために，当面の目標レベルに焦点を合わせて学習できるようになっています。

熟語のレベルについては，CEFR-EVP* をベースに，国内外の数多くの教科書・学習書に基づいて，編著者が独自に作成したデータベースによっています。

＊ CEFR-EVP：CEFR（Common European Framework of Reference for Languages）の基準に基づいて作成された語彙リスト（English Vocabulary Profile）。Cambridge University Press から公表されています。

❷ 各パートに 2 つのセクション

各パートは，それぞれ**熟語の働きに着目してグループ分け**をし，そのグループをさらに**2つのセクションに分けました**。熟語数の多いグループは，10 語ずつに区切って①，②，…のように番号を振りました。語彙力をつけるには必須の反復学習の区切りとして役立ててください。

（1） 動詞句

ここで言う「動詞句」とは動詞で始まるものと考えてください。「動詞+副詞」で他動詞の働きをする「動詞句（句動詞とも言います）」のほか，「動詞+名詞」，「be 動詞+形容詞／分詞+前置詞」などをまとめています。

動詞句（句動詞）の見出しについては❻をご覧ください。

（2） その他の品詞句

動詞以外，すなわち前置詞・副詞・形容詞・接続詞などの働きをするもの，さらに，文の形の定型表現や会話表現をまとめています。

なお，名詞の連語（「形容詞+名詞」や「名詞+名詞」）は，囲み記事として別にまとめてあります。❺をご覧ください。

❸ 語　義

それぞれの熟語の語義については，**TOEIC における頻度順に解説**してあります。

語義の頻度は，過去問と公式問題のすべての用例にあたって調べています。

❹ 解　説

各本書の使い方としては，まず，「語義」と「用例」をマスターしていただくのが第一ですが，さらに，解説（♣印）として，少し煩雑になるのを恐れずに，同義表現や関連表現を入れました。TOEIC では，同義表現が非常に重要であることはよく知られています。これらの同義表現や関連表現についても，必要に応じて発展的な用例を入れました。

その他，用法上の注意や，見出しの熟語と紛らわしい例の解説など，内容は多岐にわたりますが，熟語の理解を深める一助になるものと信じます。

❺ TOEIC 頻出連語

名詞の頻出連語を，「TOEIC 頻出連語」として 10 の囲み記事としてまとめました（掲載ページは目次を参照してください）。連語は熟語と少し性格が異なりますが，「まとまり」として覚えておいたほうがよいという点ではまったく同じです。

❻ TOEIC テストによくでる　ビジネススピーチ ビジネスレター表現集

「まえがき」でも述べたように，TOEIC のリスニングにはスピーチやアナウンス，リーディングにはビジネスレター・E メールが非常によくでます。

これらの定型表現を巻末付録としてまとめました。TOEIC 対策としてはもちろん，実社会において英語を使う場面においても，非常に役立つものものばかりです。

❼ 見出し語と例文の表記について

- 熟語見出しの［　］内の語は，前の語と置き換え可能であることを示します。また，（　）内の語句は省略可能であることを示します。
- 動詞句や前置詞句の後に続く目的語（名詞）について，特に説明が必要な場合は A，B などで示します。

    let A know　　provide A with B

  ただし，動詞句（句動詞）で，put on A[put A on] のように，動詞のすぐ後にも置くことができるものについては put ~ on のように示しました。
- 例文の後に ➲ (95) のように，参照番号がついているものがあります。この番号は，例文中に斜体で示してある熟語の見出し番号です。
- 解説文（♣印）の最後にある⇒は，同義語や関連する語の見出し番号です。

目　次

音声のご利用方法

●パソコンで聴く方法

https://www.kadokawa.co.jp/product/322303002016/

上記のURLへアクセスいただくと、mp3形式の音声データをダウンロードできます。
「特典音声のダウンロードはこちら」という一文をクリックしてダウンロードし、ご利用ください。

※音声はmp3形式で保存されています。お聴きいただくにはmp3ファイルを再生できる環境が必要です。
※ダウンロードはパソコンからのみとなります。携帯電話・スマートフォンからはダウンロードできません。
※ダウンロードページへのアクセスがうまくいかない場合は、お使いのブラウザが最新であるかどうかご確認ください。また、ダウンロードする前にパソコンに十分な空き容量があることをご確認ください。
※フォルダは圧縮されています。解凍したうえでご利用ください。※音声はパソコンでの再生を推奨します。一部のポータブルプレーヤーにデータを転送できない場合もございます。※なお、本サービスは予告なく終了する場合がございます。あらかじめご了承ください。

●スマホで聴く場合

abceed アプリ（無料）
Android・iPhone 対応

https://www.abceed.com/

ご利用の場合は、QRコードまたはURLより、スマートフォンにアプリをダウンロードし、本書を検索してください。

※abceedは株式会社Globeeの商品です（2023年11月時点）。

デザイン：chichols

PART
1
(1-108)

TOEIC テスト 全レベル最頻出熟語

動詞句

動詞句 ①～④
動詞＋名詞・助動詞
be 動詞句 ①～②

その他の品詞句

前置詞句・副詞句 ①～②
名詞句・形容詞句
その他(接続表現・会話表現等)

トラック 1-1

動詞句 ①

1	come in	入る・入ってくる, 出回る

- May I **come in**?（入ってもいいですか）
- These **come in** *a variety of* sizes.
（これらはさまざまなサイズがあります） ➡(95)
- New titles **come in** every day, so *be sure to* see what's new on our site. ➡(59)
（毎日新しいタイトルが出ますので，私どものサイトで必ず最新情報をお確かめください）

♣ ニュース・商品など，入ってくるものによって，いろいろな意味になる。

2	come to	〔合計・結果が〕(〜に)なる, 〔考えなどが〕(人の)心に浮かぶ

- The bill **came to** forty dollars, including tax.
（勘定は税込みで 40 ドルになった）
- I was taking a bath when the idea **came to** me.
（その考えが浮かんだとき入浴中だった）

♣「〜へ来る」が基本の意味。 この意味で使うことは非常に多い。
come to do「〜するようになる，〜するために来る」と区別すること。

3	get on	(乗り物などに)乗る(⇔ get off (115)), (人が)うまくやっていく, (仕事などを)進める(with) (= get along (113))

- Where can I **get on** the bus?（どこでバスに乗れますか）
- Hi, John!　How are you **getting on**?
（やあ，ジョン！　調子はどうだい？）
- Now let's **get on** with the work.
（さあ，仕事を続けよう）

♣ get on は電車・バス・飛行機・船などの大きな乗り物に「乗る」。 車・タクシーなどは get in (114) を使う。2番目の意味はくだけた表現。ふつう be getting on の形で使う。

4	get to	(〜に)到着する・行く(= arrive at), (仕事などを)始める

- How do I **get to** the train station?
（駅にはどう行ったらいいでしょうか）
- I'll **get to** work on this *right away*.
（この仕事にすぐとりかかります） ➡(87)

♣ home「家に」, there「そこへ」などは副詞なので get home, get there となり，to は不要。get to do は「(人が)〜するようになる」　⇒ get to know[understand] (189)

5	**let** A **know**	〈人〉に(~を)知らせる

- **Let** me **know** your decision.
  (あなたの結論をお知らせください)
- Please **let** me **know** what the status is.
  (どのような状況かをご連絡ください)

♣ あとに if, wh- の文を続けることが多い。

6	**look at**	(~を)見る, (~を)検討する

- **Look at** the graphic. What company does the speaker *work for*?
  (図を見てください。話者の勤め先は何ですか)〔TOEIC の問題文〕 ➲(42)

♣ 注意して見る[見て考える]という意味。take a look at「~を見る」の形も多い。

7	**look for**	(~を)探す

- Is this the file you were **looking for**?
  (君の探していたファイルはこれ?)

8	**look forward to**	(~(すること)を)期待する[楽しみに待つ](doing) (= expect, anticipate)

- I **look forward to** your reply.
  (お返事をお待ちしています)
- I'm **looking forward to** seeing you at the conference.
  (会議であなたにお会いできるのを楽しみにしています)

♣ to の後には「名詞」か「動名詞」がくる(to do は続かないので注意)。これは TOEIC 最頻出項目の 1 つ。

9	**look like**	(~のように)見える[思える], (~に)似ている(= resemble)

- It **looks like** rain.(雨が降りそうだ)
- You **look like** you didn't get much sleep last night.
  (昨夜はよく寝てないようだね)
- It's nice to meet you. You **look** just **like** your father.
  (はじめまして。お父様によく似ておられますね)

♣「見たところ~ようだ」の意味。sound like も同義で「聞いたり読んだりして」という意味合い。look as if[though] も「~のように見える」の意味(⇒ as if[though] (442))。「~のように思える」は seem like (171)。

10 **put ~ on** | (~を)**身につける**(⇔ take ~ off (14)),(電気器具などを)**つける**(⇔ put ~ out (139))

- He *took off* his old tie and **put on** a new one.
(彼は古いネクタイをはずして新しいものを身につけた) ➲(14)
- *Why don't you* **put on** the air conditioner?
(エアコンを入れたらどうですか) ➲(107)

♣「身につける」という「動作」を表す。「身につけている」というときは wear か have on を使う。「身につける」ものは衣類だけでなく,眼鏡(glasses),装身具(necklace, ring),化粧品(lipstick, perfume)なども含む。TOEICでは「シートベルト(seat belt)」がよく出る。
⇒ gain[put on] weight (600)

動詞句 ②

11 **set ~ up** | (機械などを)**設置する**,(会議などを)**設定する**,(会社などを)**設立する**(= establish)

- **Setting up** this software is quick and easy.
(このソフトのセットアップは素早くできて簡単です)
- I will call you early next week to **set up** a meeting.
(来週早々にも会議の日程を決める件で電話します)

12 **speak to[with]** | (~と…について)**話をする**(about)

- Could I **speak to** the manager, please?(支配人とお話できますか)
- Have you **spoken with** her about your feelings?
(あなたは彼女に自分の気持ちを話したことはありますか)

♣ with には「じっくり時間をかけて」という感じがある。

13 **speak about[of]** | (~について)**話す**

- She often **speaks of** her travels to exotic places.
(彼女はエキゾチックな場所への旅の話をよくする)

♣ 一人が話すという意味合い。about は内容を詳しく,of は軽く触れる,あるいはテーマを言う。

14 **take ~ off** | (服などを)**脱ぐ**(⇔ put ~ on (10)),(飛行機が)**離陸する**(⇔ land, touch down),(急いで)**立ち去る**

- *Why don't you* **take off** your coat and make yourself comfortable?
(コートを脱いでおくつろぎください) ▸ make oneself comfortable「くつろぐ」 ➲(107)
- What time does the plane **take off**?
(飛行機は何時に離陸しますか)

• Do you have to **take off** already?
(もう行かなくてはならないの?)

♣ takeoff で「離陸」の意味。 ⇒ take A off (400)

15 **talk to[with]** (~と)**話をする・相談する**

• Can I **talk to** you?(君と話せる?)
• I've got something important to **talk to** you about.
(君と大切な話がある)

♣「話・会話をする」という意味では speak to[with] (12) と区別なく使えるが,「相談する」というときはふつう talk to[with] を使う。

16 **talk about[of]** (~について)**話す**

• Let's **talk about** the upcoming project.
(今度のプロジェクトについて話をしよう)

♣ 2 人以上の人が話すという意味合い。

17 **take place** (行事などが)**行われる**,
(事が)**起こる** (= happen, occur)

• The Tokyo Fashion Show will **take place** in October.
(東京ファッションショーは 10 月に行われる)
• How do the police think the accident **took place**?
(警察はその事故はどのように起こったと考えていますか)

♣ 次の文は, TOEIC の問題文。
Where does this conversation take place ?(この会話はどこで行われますか)
⇒ take one's place (826)

18 **think of[about]** (~(すること)について)**考える** (doing),
(~を)**思いつく・思い出す**

• What do you **think of** this weather?
(この天気をどう思いますか)
• I'm **thinking of** buying a new computer.
(新しいコンピューターを買うことを考えている)
• I recognize her face, but I can't **think of** her name.
(彼女の顔に見覚えはあるんだが, 名前が思い出せない)

♣ about は「積極的に考える」という意味合い(「思いつく」の意味では使わない)。どちらも What ...? の疑問文か, I am thinking .... の形で使うことが多い。think of A as B「A を B とみなす」(= regard)の形もある。

19 **agree with** | (人・意見などに)**賛成する**(⇔ disagree with), (〜と)**一致する**

- Do you think the committee will **agree with** this proposal?
  (委員会はこの提案に賛成すると思いますか)
- I couldn't **agree with** you more.
  (これ以上に賛成できない→大賛成です)

♣ 否定文で「(気候・食べ物が人に)合わない」という意味もある。

20 **allow** A **to** do | 〈人〉に(〜することを)**許す**, 〈人〉が(〜することを)**可能にする**

- **Allow** me **to** introduce myself.
  (自己紹介をさせてください)
- This password will **allow** you **to** log in to the online store.
  (このパスワードでオンラインストアにログインすることができます)

動詞句 ③

21 **apologize** (**to** A) **for** | (〈人〉に)(〜のことで)**あやまる**

- I **apologize for** the *last-minute* change in plans.
  (どたん場での計画の変更をお詫びいたします) ➲(651)
- He **apologized to** her **for** his rudeness.
  (彼は彼女に無作法を詫びた)

22 **apply** (**to** A) **for** B | (〈会社・学校など〉に)〈職・入学など〉を**申し込む・出願する**

- I **applied to** the college **for** a scholarship.
  (私は大学に奨学金の申し込みをした)
- Why have you **applied for** this particular position?
  (どうして特にこの職を志望したのですか)

23 **apply** (A) **to** B | (〈規則など〉を)〈人・事〉に**適用する**, 〔規則などが〕〈人・事〉に**適用される**

- We need to **apply** the same standards **to** both opposing sides.
  (対立する双方に同じ基準を適用することが必要です)
- Our low-price guarantee does not **apply to** limited-quantity offers.
  (私どもの低価格保証は数量限定サービス品には適用されません)

♣ apply A to B は「〈力・物など〉を〈人・物〉に当てる[加える]」の意味でもよく使う。
Apply a towel to your face for a few minutes.(タオルを数分間顔に当てなさい)

24 **ask for** | (援助などを) **求める** (= request)

- *In order to* accomplish this task, we are **asking for** your help.
  (この仕事を完成させるために，あなたの助力を求めています) ➲(79)

♣ ask A for B「〈人〉に〈援助など〉を求める［頼む］」や ask that「(…するよう) 求める［頼む］」の形でも使う。that に続く文の動詞は原形を使う。

25 **encourage** A **to** do | 〈人〉に (～するよう) **勧める・奨励する**

- All employees are highly **encouraged to** attend the meeting.
  (会議には全社員がぜひ出席してください)

26 **fill ~ out[in]** | (書類などに) **記入する**

- Could you please just **fill out** this form?
  (この用紙に必要事項を記入していただけますか)

♣ fill ~ in は《英》なので，TOEIC では《米》の fill out が出る。 ただし fill in for (752) が出るので注意。

27 **find out** | (未知の情報などを) **見つけ出す・探り出す** (about, wh-)

- How did you **find out** about the new software?
  (新しいソフトのことをどうやって見つけたの？)
- *Come in* today, and **find out** why our furniture products are so popular.
  (本日お越しいただき私どもの家具製品の人気が高い理由をお確かめください) ➲(1)

♣ 単に「(物・人を) 見つける」という意味では find を使う。discover は「偶然に (～を) 見つける」。

28 **focus** (A) **on** B | (〈注意など〉を) (～に) **向ける**，〈カメラなど (の焦点)〉を (～に) **合わせる**

- Let's **focus on** practical solutions and not waste time.
  (現実的な解決策に集中して時間を無駄にしないようにしよう)
- **focus** the telescope **on** the sun (望遠鏡の焦点を太陽に合わせる)

29 **hear from** | (～から) **便り［電話］がある**

- We hope to **hear from** you soon. (すぐにお便りをいただけたらと思います)
- Have you **heard from** Emily recently? (最近エミリーから便りはあった？)

♣ ⇒ hear of (130), hear about (129)

30	**meet with**	(~と)〔約束して〕会う,(賛成・反対などを)得る

- I'*d like* to **meet with** you *as soon as possible.*
  (できるだけ早くあなたにお会いしたいのですが) ➲(44), (99)
- **meet with** one's approval(人の賛同を得る)

動詞句④

31	**move to**	(~へ)引っ越す・移転する

- I'm going to **move to** Los Angeles.
  (私はロサンゼルスへ引っ越すつもりだ)

♣「〈新しい家・ビルなど〉へ引っ越す」は move into A を使う(⇒ move in (167))。「引っ越して行く」は ⇒ move out (168)。

32	**pay** (A) **for** B	(〈金額〉を)〈物〉の代金として払う

- I'*d like* to **pay for** this sweater by credit card.
  (クレジットカードでこのセーターの代金を払いたいのですが) ➲(44)
- **pay** $500 **for** a used car(中古車に 500 ドルを払う)

♣ pay one A for B の形もある。
pay a lawyer $1,000 for legal services(弁護士に弁護費用として 1000 ドル支払う)
「売る・買う」も同様な形をとる。
sell[buy] A for B「〈商品〉を〈金額〉で売る[買う]」

33	**pick** ~ **up**	(~を)拾い[取り]上げる,(人を)車に乗せる,(物を)車で取りに行く

- The man is **picking up** the bag.
  (その男性はカバンを拾い上げている)
- I have to **pick up** my son from school today.
  (今日は学校に息子を迎えに車で行かなくてはならない)

♣ ほかに「(病気・景気などが)よくなる(= improve)」(⇒ (908) の例文),「(中断したものを)また始める」(⇒ (764) の例文)などの意味がある。 ⇒ pick ~ out (363)

34	**prepare for**	(~の・~に備えて)準備をする

- Give yourself *plenty of* time to **prepare for** the meeting.
  (会議の準備のために十分な時間をとりなさい) ➲(92)

♣ prepare A for B「B に備えて A を準備する」の形もある。また,この受け身形で人を主語にして A is prepared for B[to do]「〈人〉が B の(~する)覚悟[心構え]ができている」という意味にもなる。

35 **provide** A **with** B 〈人〉に〈必要な物・事〉を**提供する・供給する**

• Could you **provide** us **with** the following information: ...
(以下の情報を提供していただけますか。…)

♣ B を先に置くと provide B for[to] A となる。

36 **refer to** (～を)**参照する**, (～について)**言う[触れる]**, (～を)**指す・表す**

• Please **refer to** the instruction manual for details.
(詳細は使用指示書を参照してください)

• Questions 161-163 **refer to** the following article.
(問題の 161-163 は, 次の記事に言及しています)〔TOEIC の指示文〕

• The term "disk" **refers to** any computer storage device.
(「ディスク」という用語はコンピューターデータの記憶装置を指す)

♣ refer A to B で「〈人〉を〈人・場所など〉に(照会などで)差し向ける,〈情報など〉を〈組織など〉に(照会などのために)送る」の意味((845) の例文参照)。

37 **share** A **with** B (〈A〉を)〈B〉と**分かち合う[共有する・共用する]**

• Thank you very much, Mr. Kathrada, for **sharing** this hour **with** us.
(カスラダさん, 私たちとこの時間を共有してくださって[参加していただきまして]本当にありがとうございました)

• I **shared** a room **with** her when I was in college.
(私は大学時代, 彼女とルームシェアをしていた)

♣ share A among[between] B で「〈A〉を〈B〉の間で(均等に)分ける」。
Let's share the profits among[between] us.(利益はみんなで(均等に)分けよう)

38 **sign up** (**for**[**to** do]) (～(すること)に)**参加を申し込む・登録する**

• Just **sign up for** the Green Club Card and use it when you shop.
(グリーンクラブカードに加入して, お買い物にお使いください)

• **Sign up to** receive our free weekly newsletter!
(無料で配信される週刊ニュースレターにご登録ください)

39 **stop by** (～に)**立ち寄る**

• We forgot the mustard. Let's **stop by** the Family Mart over there and get some.(マスタードを忘れたわ。あそこのファミリーマートに寄って買いましょう)

♣ ほかの所に行く途中で立ち寄るという意味。stop in[off] も同じ意味で使う。この 2 つは, 場所を示すときは stop in[off] at〈場所〉のように前置詞が必要。
⇒ drop in (330), come by (538)

40 turn ~ on[off]

(テレビ・明かりなどを)つける[消す], (水・ガスなどを)出す[止める]

- Please **turn** the TV **off** if you're not watching it.
  (見ていないならテレビを消してください)

♣「消す・止める」の意味では turn out (386) が同義。 ⇒ switch ~ on[off] (177)

41 wait for

(人・物・事を)待つ(= await, expect)

- Are you **waiting for** someone?
  (誰か待っているの?)

♣ wait for A to do で「A が~するのを待つ」の意味。
wait for the light to change to green(信号が青に変わるのを待つ)
wait に時間を表す for ... が続いて wait for の形になることもあるので注意。
I've been waiting for an hour.(私は 1 時間待っている)

42 work for

(会社などに)勤めている

- I *used to* **work for** the international marketing department.
  (私は以前国際マーケット部で働いていました) ➲(49)

♣ work for の後には会社名や雇用主名がくる。 勤めている場所を言うときは work in[at] も使う。
work at an airport(空港で働く)

43 work on

(仕事・問題などに)取り組む

- I have been **working on** a research project in Egypt for five years.
  (私はエジプトでの調査プロジェクトに 5 年間取り組んでいる)

44 would like

(~が)欲しい, ~したい(to do)

- **Would you like** something to drink?
  (何か飲み物はいかがですか)
- I **would like** to rent a car for three days.
  (3 日間車を借りたいのですが)

♣ want の「ていねい表現」。 話し言葉では 'd like ... に短縮される。 疑問文は「~はいかがですか」と, ていねいに勧める表現になる。
would like A to do は「〈人〉に~してもらいたい」の意味。
Would you like me to bring you anything?
(何か持ってきてほしいですか[お持ちしましょうか])

動詞＋名詞・助動詞

45	**make sure[certain]**	(～を・…であることを)**確かめる**(of, that), (必ず…であるように)**手配する**(of, that)

- I would like to **make sure** of the time we leave.
  (私たちが出発する時間を確かめたいのですが)
- **Make sure** you have all your data *backed up*.
  (すべてのデータをバックアップしたことを確認しなさい) ➲(528)
- Please **make sure** delivery is *on time*.
  (どうか時間どおりに配達するように手配してください) ➲(86)

46	**make[have] a reservation**	予約する[してある]

- I'd like to **make a reservation** for the night of July fourth.
  (7 月 4 日の夜の予約をしたいのですが)

47	**place an order**	(～を・～へ)**発注[注文]する**(for, with)

- I'd like to **place an order** for the following:(以下のものを注文します)

♣ 動詞の order「注文する」は, order A from B「〈A〉を〈B〉に注文する」のように使う。
I ordered a book from Amazon.com.(Amazon.com に本を注文した)

48	**have[get] a chance**	(～する)**機会がある[を得る]** (to do)

- If I **have a chance**, I'll call you tonight.(チャンスがあれば今晩電話します)
- If you **have a chance** to come to Japan, please *call on* us.
  (日本に来る機会があったら，ぜひ私たちをお訪ねください) ➲(318)

♣ この chance は opportunity「機会, 好機」の意味。 このほか chance には「偶然」の意味がある。by accident[chance] (452) 参照。
⇒ take the[this] opportunity[chance] to do (403)

49	**used to** do[be]	〔以前は〕(～した)**ものだった**, 《used to be で》(～で)**あった**

- I **used to** work a straight 12-hour day.
  (以前は日に 12 時間ぶっ続けで仕事をしたものだった)
- I **used to** be a member of an amateur orchestra.
  ((かつては)アマチュアオーケストラの一員だった)

♣「今は違う」という意味合いを含む。be[get] used to (221) と混同しやすいので注意(used to は助動詞なので, あとに原形の動詞がくる)。 また, 動詞 use の受け身形が, be used to do となることもある。この場合, 動詞は [ju:zd] と音が異なる(助動詞の used は [ju:st])。

be 動詞句①

50	be **interested in**	(～に)興味がある, (～したいと)思う(doing)

- I **am interested in** your cupboards which were advertised in "Household Magazine."
  (私は『ハウスホールド・マガジン』誌に広告されていた貴社の食器棚に興味があります)
- We **are interested in** purchasing a new copy machine for our office.
  (私どもはオフィスに新しいコピー機を購入したいと思っています)

♣「(聞きたい・見たい・知りたい)と思う」などには be interested to hear [see, know, learn] のように to do の形も使う。

51	be **happy**[**glad**] **to** do	(～して)うれしい,《will[would] ... で》喜んで(～する)

- I **was** very **happy to** receive your Christmas card.
  (君からクリスマスカードをもらってとてもうれしかったよ)
- We will **be happy to** take your order by phone.
  (電話でのご注文を(喜んで)承ります)

♣ be happy[glad] (that) や be happy[glad] about の形もある。
⇒ be pleased to do (52), be willing to do (223)

52	be **pleased to** do	(～して)うれしい,《will[would] ... で》喜んで(～する)

- I'**m pleased to** meet you.(お会いできてうれしいです)
- If you can *come down* to our club, we'll **be pleased to** welcome you.
  (私たちのクラブにおいでいただければ, 喜んでお迎えいたします) ➲(124)

♣ be happy[glad] to do (51) よりも改まった言い方。

53	be **pleased with**	(～で)喜んでいる, (～が)気に入っている

- We **are** very **pleased with** the progress the company has made.
  (われわれは, 会社が発展したことを大変喜んでいる)
- **Are** you **pleased with** your new car?(新しい車, 気に入ってる?)

♣ ⇒ be delighted with[at] (614)

54	be **concerned about** [**for**]	(～を)心配している, (～が)気がかりである

- She **is** very **concerned about** her child's health.
  (彼女は自分の子どもの健康をとても心配している)

- I **am concerned about** the upcoming tax audit.
（来るべき税務調査が気がかりだ）

♣ ⇒ be concerned with (611)

55	be **sorry for**[**about**]	（～について）申し訳なく思う，（～を）気の毒に思う

- I **am** very **sorry for** the inconvenience this delay has caused you.
（遅れたことでご不便をおかけして誠に申し訳ございません）
- I **am** so **sorry about** the loss of your business.
（商売での損失を本当にお気の毒に思います）

♣「気の毒に思う」の意味では，for は「人」，about は「出来事」に使う。be sorry to do, be sorry that の形もある。
I am sincerely sorry to hear about your loss.
（お亡くなりになられたと聞いて心からお悔やみ申し上げます）

56	be **ready for**[**to** do]	（～の・～する）用意［準備］ができている

- **Are** you **ready for** the final exams?
（最終試験の準備はできた？）
- The letter **is ready for** you **to** sign.
（お手紙は署名する用意ができています）

♣ get ready for[to do] は「～の［～する］準備をする」。be ready to do で「喜んで～する（= be willing to do (223)）」の意味もある。
⇒ be reluctant to do (849)

57	be **available for** [**to** do]	（～に・～するのに）利用できる，〔人が〕（面会などに・～するのに）応じられる

- The College Club **is available for** wedding ceremonies and receptions.
（カレッジクラブは結婚式と披露宴に利用できます）
- An experienced advisor **is available to** help students.
（経験豊富なアドバイザーが学生をサポートします）

♣ be available from で「～から人手できる」の意味もある。
More detailed information is available from the following sites:
（さらに詳細な情報は次のサイトで入手できます）

58	be **scheduled for** [**to** do]	（日時に）予定されている（for），（～する）予定である（to do）

- The conference **is scheduled for** Monday next week.
（会議は来週の月曜日に予定されている）
- We **are scheduled to** arrive at 11.25 local time.
（現地時間の 11 時 25 分に到着する予定です）

PART 1 動詞句 その他の品詞句

59	be **sure to** do	**きっと**(〜する)(= be certain to do),《命令文で》**必ず**(〜しなさい)

- I'll **be sure to** *give* you *a call.*
  (きっと電話するよ)　➡(119)
- Whatever your problems, you **are sure to** overcome them.
  (どのような問題であれ, あなたはきっとそれらを克服しますよ)

♣ 話者が確信している。 命令文では Be sure that の形もある。
⇒ be sure of[about] (427)

be 動詞句②

60	be **supposed to** do[be]	(〜することに)**なっている**〔予定・予測〕,《否定文で》(〜してはいけない)**ことになっている**〔禁止〕

- When **is** the delivery **supposed to** arrive?
  (その配達物はいつ到着する見通しですか)
- You'**re** not **supposed to** smoke in this room.
  (この部屋では喫煙してはいけないことになっている)

♣ You ... で使うと「軽い命令」になる。be expected to do も同じ意味。

61	be **aware of**	(〜に)**気がついている**,(〜を)**知っている**

- We **are aware of** an issue with the program.
  (私たちはこのプログラムに問題があることは承知しています)

♣ be aware that の形もある。　⇒ be conscious of (612)

62	be **based in**[**at**]	〔組織などが〕(〜に)**本拠地を置く**

- We **are based in** Seattle and have been in business for more than twenty years.
  (わが社はシアトルに拠点を置き, 20 年以上にわたってビジネスを展開しています)

♣ base A in[at] の受け身形。

63	be **based on**[**upon**]	〔情報・判断などが〕(〜に)**基づいている**

- This figure **is based on** the results of my experiments.
  (この数字は私の実験の結果に基づくものです)

♣ base A on[upon] の受け身形。

64 **be located in[at, on]** 〔建物・施設などが〕(～に)位置する

- The Grand Hotel **is located in** *the heart of* San Francisco's business district.
  (グランドホテルはサンフランシスコのビジネス街の中心に位置しております) ➲(287)

65 **be responsible for** (仕事などに)責任がある, (事故・失敗などに)責任がある

- Who **is responsible for** this shipment?
  (この出荷の責任者は誰ですか)
- It is still not known who **is responsible for** the accident.
  (その事故の責任が誰にあるかはまだ分かっていない)

66 **be intended for [to do]** (～(すること)を)対象[目的]としている

- This book **is intended for** young adults.
  (この本は青少年向けです[を対象としています])
- **For** whom **is** the advertisement most likely **intended**?
  (その広告が最も対象としているのは誰ですか)
- What **is** the product **intended to** treat?
  (この製品は何を治療するためのものですか)

♣ intend A for[to do] の受け身形。2, 3 番目の例文は TOEIC の問題文。

67 **be designed for[to]** (～)用の, (～)向けの

- Web Tool **is designed for** users of all levels — from beginners to advanced users.
  (ウェブツールは, ビギナーから上級者まで, あらゆるレベルのユーザー向けに作られています)

♣ be designed to do は「～をするように設計[計画]されている」。

トラック 1- 8

前置詞句・副詞句①

68 a (little) bit

〔程度が〕少し，ちょっと

- *Do you mind if* I open the window **a little bit**?
  (窓を少し開けてもよろしいすか) ➲(108)
- The price is **a bit** high for my budget.
  (値段は私の予算にはちょっと高い)

♣ ⇒ quite a bit (of) (286), a bit of (93)

69 according to

(文献・報道などに)よれば，
(指示・計画などに)従って，(～に)比例して・応じて

- **According to** a recent survey of college students, two-thirds of them said they drink alcohol.
  (最近の大学生を対象とする調査によれば，3 分の 2 の学生が飲酒すると言った)
- It's important to take your medicine **according to** your doctor's instructions.(医者の指示に従って薬を飲むことが大切です)
- Everything is going **according to** plan.
  (すべてが計画に従って[どおりに]進んでいる)
- You will be paid **according to** the amount of work you do.
  (あなたは自分のする仕事の量に応じて給料が支払われることになります)

♣「～によれば」の意味で to の後にくるものは「信頼できる情報源」という意味合いがある。

70 as you know

ご存じのように，知ってのとおり

- **As you know**, I'm leaving at the end of this month.
  (ご存じのように，私は今月いっぱいで退社します)

71 at least

少なくとも(⇔ at (the) most (857))

- I will be in London for **at least** three days.
  (私は少なくとも 3 日間はロンドンにいます)

♣ at (the) very least も同じ意味の強調形。

72 at the end of

(～の)最後に，(～の)端に

- This offer expires **at the end of** this month.
  (この特価サービスは今月末に終了します)
- The fire exit is **at the end of** the hall.(非常口は廊下の端にあります)

♣ at the〈位置〉of の熟語。
at the front of「～の前部に」, at the back of「～の後ろに」, at the rear of「～の後ろ・裏に」, at the side of「～のわき［側面］に」, at the top of (448)

73 **because of**	(～の)**ために**〔理由・原因〕 (= due to (74), on account of (690))

• All the trains were stopped **because of** the heavy snow.
(豪雪のために列車はすべて運休となった)

♣ because of の後には名詞を続ける。文が続く場合は接続詞の because を使う。これも TOEIC の最頻出項目の 1 つ。

74 **due to**	(～の)**ために**〔理由・原因〕

• The store was closed **due to** a power failure.
(その店は停電のため閉店した)

• The accident was **due to** careless driving.
(その事故は不注意な運転によるものだった)

♣ because of よりも改まった言い方。「～の予定である」という意味の be due に to do が続いて due to の形になることがある(⇒ be due (837) 参照)。これと区別すること。

75 **for example [instance]**	**たとえば**

• **For example**, you can get 10 hours of Internet access and *pay for* only eight hours.
(たとえば，10 時間インターネットに接続しても 8 時間だけの料金でいいのです) ➲(32)

76 **in addition**	**その上・さらに** (= besides), (～に)**加えて** (to)

• **In addition**, our online banking service will be available 24 hours a day.
(その上，オンライン・バンキング・サービスは 24 時間ご利用いただけます)

• **In addition to** the regular items, can you let me know if anything extra is needed?
(通常品に加えて，何か追加で必要なものがあれば教えていただけますか)

77 **in advance**	**前もって** (= beforehand)

• To *make reservations*, just e-mail us *at least* one week **in advance**.
(予約するには，少なくとも 1 週間前には E メールでご連絡ください) ➲(46), (71)

♣ 期間を表す語句を前につけることが多い。

前置詞句・副詞句②

78 in fact
〔前文を強調して〕実際，〔予想・考えなどに反して〕実際は

- **In fact**, Japanese retail sales have fallen every month since the consumption tax hike.
（実際，消費税の引き上げ以来，日本の小売りの売り上げは毎月落ち込んでいる）
- She looks over twenty, but **in fact**, she has just turned sixteen.
（彼女は 20 歳以上に見えるが，実際は 16 歳になったばかりだ）

79 in order to do
（～する）ために

- The man is standing on the bench **in order to** take a picture.
（その男性は写真を撮るためにベンチの上に立っている）
- **In order** for us **to** be competitive in the world market, we must control our costs.
（わが社が世界市場で競争力を持つためには経費を抑えなくてはならない）

♣ 2番目の例はin order for A to do「〈人〉が～するために」の意味。in order thatの形もある。 ⇒ in order (261), so as to do (723)

80 in stock
在庫があって

- Could you let me know if you have the following items **in stock**?
（次の品目を在庫しているかどうかお知らせください）

♣「品切れで・在庫切れで」はout of stock。take stockで「棚卸しをする，在庫を調べる」の意味。

81 instead of
（～の）代わりに

- Mr. Gardener called and said he would be coming to your office at 10:00 **instead of** 9:00.
（ガードナー氏から電話があり，9 時ではなく 10 時にオフィスに来るとのことでした）

82 most likely
おそらく，たぶん

- Where is the conversation **most likely** taking place?
（この会話はどこで行われる可能性が高いだろうか）〔TOEIC Part 3 の問題文〕

♣ most のほかに more, very なども使う。

83 next to

(～の)隣に〔位置〕, (～の)次に〔順序・程度〕, 《否定語の前で》ほとんど(～ない) (= almost)

- My room is **next to** yours, so call me if you need anything.
  (私の部屋はあなたの隣ですから何か必要でしたら呼んでください)
- **Next to** golf my favorite pastime is gardening.
  (ゴルフの次に私の好きな気晴らしはガーデニングです)
- I know **next to** nothing about agriculture.
  (農業についてはほとんど何も知らない)

84 no longer

もう～でない[～しない] (= not ... any longer, not ... anymore)

- I'm sorry, but we **no longer** carry that line of clothing.
  (申し訳ありませんが, 私どもではもうその種の衣料品は置いておりません)

▶ line「商品ライン」

85 of course

もちろん・当然(のこととして), 〔肯定の返答として〕もちろん(どうぞ)

- I will, **of course**, let you know as soon as I have his response.
  (もちろん, 彼から返答があり次第お知らせします)
- Can I have a word with you? — **Of course**.
  (ちょっとお話ししたいのですが — ええ, どうぞ)

86 on time

時間どおりに, 定刻に (= punctually)

- Let's start our next meeting **on time**.
  (次回の会合は時間どおりに始めよう)
- These buses are never **on time**.
  (この路線バスは決して定刻には来ない)

♣ right on time で「きっちり時間どおりに」(right をつけると正確さが強調される)。
⇒ right now[away] (87), in time (267)

87 right now[away]

ただちに, すぐに (= immediately, at once (240))

- Would you please check the status of this order **right away**?
  (すぐにこの注文(の処理)がどうなっているかを調べてくださいますか)

♣ right は時を表す語句につけて「すぐに」あるいは「ちょうど」の意味。 したがって right now は「ちょうど今」という意味にもなる。
I'm sorry but the manager cannot see you right now.
(申し訳ありませんが支配人はただ今お会いできません)
場所については ⇒ right here[there] (490)。

88 per hour[day, week, month, year, etc.] 1時間[日, 週, 月, 年, など]につき

- The storm's wind speed was about 65 kilometers **per hour**.
  (その嵐の風速はおよそ時速 65 キロメートルだった)
- One should exercise *at least* three days **per week**.
  (人は少なくとも週に 3 日は運動をするべきです) ➲(71)

♣ このほかに per night「一晩につき」, per person[head]「1 人当たり」など。また, ラテン語起源の per capita「1 人当たり」(《略》per cap.), per diem「1 日当たり」(《略》p.d.), per annum「1 年につき」(《略》p.a.) などがビジネスで使われる。per diem には「日給, (出張時の) 日当」の意味もある。

89 prior to 〔時間・順序が〕(〜より) 前に (= before)

- We will refund your deposit *in full up to* thirty days **prior to** departure.
  (出発 30 日前まで, 手付金は全額ご返却いたします) ➲(258), (90)

♣ 堅苦しい言い方。契約書などでよく使われる。

90 up to (〜に達する) まで,《(be) up to A で》〈人〉次第である,《否定・疑問文で》〔能力的に〕(〜が) できる

- Books on the clearance table are *on sale* for **up to** 50% off.
  (在庫一掃テーブルにある本は, 特価で最高 50%まで値引きされています) ➲(274)
- It's **up to** you what we eat tonight.
  (今夜何を食べるかはあなた次第です)
- Unfortunately, he is not **up to** the job.
  (残念なことに, 彼はこの仕事をこなせない)

♣ What have you been up to? は「最近, どうしてる?」という意味の「あいさつ表現」。up to now は「今までに」で, so far (277) と同じ意味。ほかに look up to (567), live up to (767) など,「動詞+ up to」の表現は多いので注意。
up to date (280) も参照のこと。

名詞句・形容詞句

91 a (large) number of　多数の

- Our company has attracted **a large number of** new customers.
（わが社は多くの新規顧客を獲得した）

♣ large のほかに great, small などの「多・少」を表す形容詞が入る。

92 plenty of　たくさんの・十分な

- The shopping center offers **plenty of** free parking.
（ショッピングセンターには無料の駐車場がたくさんある）
- Be sure to pack a lunch and **plenty of** water.
（昼食と十分な水を用意してください）

♣ plenty to do で「(やるべき) たくさんの仕事」の意味。

93 a bit of　〔程度・量が〕少しの・少量の

- He may need **a bit of** help.
（彼には少し助けが必要かもしれない）

♣ a bit of a は「〔好ましくないことについて〕かなりの～・ちょっとした～」の意味。
There's a bit of a problem.（ちょっとした問題がある）
⇒ a (little) bit (68), quite a bit (of) (286)

94 (a) kind[sort] of　(～の)一種, ある種の

- **a kind of** melon（メロンの一種）
- Dr. Yang has spent much of his life as **a kind of** ambassador between East and West.
（ヤン博士は東洋と西洋の間のある種の使節として，その人生の多くを費やした）

♣ 分類を表して「～の一種」という意味と, 情報が正確でないときに類例をあげて「～のようなもの」という意味とがある。

95 a variety of　いろいろな

- Our new Web Store features **a variety of** imported products.
（私どもの新しいウェブストアではさまざまな輸入品を特集しています）

♣ of の後には複数名詞がくる。variety の前に large, great, wide などの形容詞を置くこともある。
a wide variety of merchandise（幅広い種類の商品）

96 each other
互い(に) (= one another)

- The girls are sitting *next to* **each other**.
  (その少女たちは互いに隣り合って座っている) ➲(83)

♣ each other や one another は代名詞。know each other は直訳すれば「お互いを知っている」で, each other は know の目的語になる。

その他(接続表現・会話表現等)

97 as soon as
(～すると)すぐに (= just after)

- She'll see you **as soon as** she finishes her call.
  (電話がすみ次第, 彼女はあなたにお会いいたします)

♣ あとに文を続ける〔接続詞の働き〕。「as 形容詞・副詞 as S+V」の形の1つ。
⇒ as soon as possible (99), in a minute[moment] (470)

98 as ... as possible
できるだけ…に[な]

- I want to leave **as** early **as possible** tomorrow morning.
  (私は明朝できるだけ早く出発したい)
- save **as** much money **as possible**
  (できるだけ(たくさん)貯金する)

♣「...」には形容詞・副詞のほかに「形容詞+名詞」も入る。

99 as soon as possible
できるだけ早く

- Please *let us know* the results **as soon as possible**.
  (できるだけ早く(私たちに)結果を知らせてください) ➲(5)

♣ 前項の「...」に soon が入った形。E メールなどでは ASAP と略記することがある。as soon as A can も同じ意味で, 少しくだけた感じになる。

100 A as well as B
〈B〉だけでなく〈A〉も

- He has experience **as well as** knowledge.
  (彼は知識だけでなく経験もある)
- Art can exercise the brain, **as well as** the eye and hand.
  (アートは脳を鍛えることができる, 目や手はもちろんだが)

♣ A, as well as B「〈B〉と同様に〈A〉」の形も多い。このとき文脈によっては「〈A〉, もちろん〈B〉も」と訳せることもある。

101	**How[What] about A?**	〔提案して〕〈A〉(しては)**どうですか**, 〔意見・情報を求めて〕〈A〉は**どうですか**

- **How about** stopping at that new coffee shop on the way home?
(帰る途中に新しいコーヒーショップに立ち寄るのはどう?)
- **What about** tomorrow morning?(明日の朝はどうですか)
- I'm hungry. **How about** you?(おなかがすいた。君はどう?)

102	**I wonder if you could[would]**	〔依頼して〕**~していただけませんか**

- I **wonder[was wondering] if you could** help me.
(ちょっと手を貸していただけないでしょうか)

♣ if の後を過去形にして,ていねいさを表す表現。wonder を was wondering にすると,よりていねいになる。例文はI wonder if you can help me.「ちょっと手伝ってもらえないかな」を過去形にして,ていねいにした形。この文も軽く依頼するくだけた言い方。

103	**no problem**	**お安いご用です,かまいません**

- Do you mind waiting *for a* little *while*? — **No problem**.
(ちょっとお待ちいただけませんか — かまいませんよ) ➲(434)
- Sorry. I have the wrong number. — **No problem**. Bye.
(すみません。番号を間違えました — お気になさらずに。では)

♣ 依頼・感謝・お詫びに対する返事。

104	**so** (**that**) A **can** [**will, may**] do	〈A〉**が~できる[する]ように**

- *Why don't we* leave earlier **so** we **can** buy a cheaper ticket?
(安い券を買えるように早めに出ない?) ➲(107)
- Please give me your e-mail address **so** I **will** be able to contact you whenever I need to.
(必要なときにいつでも連絡がとれるように,あなたのEメールのアドレスを教えてください)

♣ that は省略することが多い。

105	**so do**[be] A	〈人〉**もまたそうである**

- I have a lot to do today. — **So do** I.
(今日はたくさんやることがある — 私もです)
- If I can do it, **so can** you.(私にできるんなら,あなたにもできるよ)

♣ 動詞の反復をさけるために do や be で代用する言い方。do[be] は前の文の時制に,人称は A に合わせる。2 番目の例のように,助動詞がある場合はその助動詞を使う。

106 such as
(たとえば)～のような

- In this part you will read a selection of texts, **such as** magazine and newspaper articles, e-mails, and instant messages.
（このパートでは雑誌や新聞記事，E メール，インスタント・メッセージなど，選ばれたテキストを読みます）〔TOEIC Part 7 の指示文〕

♣ あとに例としてあげるものを列挙する。such A as「～のような A」の形もある。

107 Why don't you [we, I] ...?
《you で》～したらどうですか，《we で》～しましょうよ，《I で》～しましょうか

- **Why don't you** *talk to* him about it?
（彼とそのことについて話したらどう?） ➲(15)
- **Why don't we** meet on Friday afternoon?
（金曜日の午後に会わない?）
- **Why don't I** send him an e-mail right now?
（今すぐ私が彼に E メールを送りましょうか）

♣ くだけた言い方で，親しい間柄で使う。

108 Would[Do] you mind ... ?
(～して)いただけますか(doing)，
(～しても)よろしいですか(if I did[do] ...)

- **Would you mind** changing seats with me?
（席を替わっていただけますか）
- **Would you mind** if I came with you?
（あなたと一緒に行ってもよろしいですか）

♣ ていねいに依頼したり，許可を求めたりする表現(do より would のほうがていねい)。if に続く文は過去形が《フォーマル》。また，許可を求めるとき，if I did[do] を my[me] doing とも言うが，TOEIC では少ない。
Would[Do] you mind ...? は，直訳すると「～はいやですか」という意味。したがって，答えは，受け入れるときは No.「いいえ(いやではありません)」，拒否するときは Yes.「はい(いやです)」となる。ただし実際の会話では，Yes./ No. だけではぶっきらぼうなので，やわらげる表現が使われる。
〔No〕 No, I don't mind at all.(いいえ，まったくかまいません)
Sure, go ahead.(いやいや，どうぞ)
〔Yes〕 Yes, actually I do mind.(はい，まあ困ります)
I'd rather you didn't.(どちらかと言えばご遠慮ください)

TOEIC テスト　頻出連語①

★は最頻出連語 TOP 50

■ ビジネス・会社・経営

business area	（商業地区）
business day★	（営業日）
business hours★	（営業[勤務]時間）
business partner	（共同経営者）
business relationship	（取引関係）
business associate	（仕事上の仲間）
business acquaintance	（仕事上の知り合い）
affiliated company[firm]	（系列会社）
company rules[regulations]	（社内規定）
joint venture[company]	（合弁事業[会社]）
mergers and acquisitions	（合併買収〔M&A〕）
risk management	（危機管理）

■ 職業・経歴

travel agent[agency]★	（旅行業者[旅行代理店]）
real estate agent[agency]★	（不動産業者[会社]）
advertising agency	（広告代理店）
security guard	（警備員）
human resources★	（人的資源，人材）
application form	（申込書，申請書）
registration form	（登録用紙）
cover letter	（カバーレター，添え状）
career change	（転職）
career development	（キャリア開発，キャリアアップ）
career opportunity	（就業機会）
career path	（〔職業の〕進路）
job loss	（失職）
job interview★	（就職面接）
job fair★	（就職フェア，合同企業説明会）

job opening★ (職の空き，就職口)
temporary[part-time] worker[employee]
(臨時社員[職員])
office worker[employee] (事務職員)
police officer (警官)

■役職

business executive (企業幹部)
CEO (chief executive officer)★ (最高経営責任者)
CFO (chief financial officer) (最高財務責任者)
vice president★ (副社長)
board of directors★ (取締役会，重役会)
board meeting (取締役会(議)，重役会(議))
middle management (中間管理職[者])
sales director (販売担当重役)
department manager★ (部長)
sales manager★ (営業[販売]部長)
office manager★ (業務マネジャー)
personnel manager (人事部長)

■部門

account[accounting] department (経理部)
advertising department (宣伝部)
financial department (財務部)
manufacturing department (製造部)
marketing department★ (営業[マーケティング]部)
sales department (営業[販売]部)
shipping department (発送部)
personnel department (人事部)

PART 2 (109-310)

TOEIC テスト 500 点レベル頻出熟語

動詞句

動詞句 ①～⑧
動詞＋名詞・助動詞 ①～②
be 動詞句 ①～②

その他の品詞句

前置詞句・副詞句 ①～⑥
名詞句・形容詞句
その他（接続表現・会話表現等）①～②

トラック 2-1

動詞句①

109 come back

(～へ・～から)**戻ってくる** (to, from) (= return)

• We *were glad to* serve you. Please **come back** anytime.
(ご利用いただきありがとうございました。また，いつでもお越しください) ➡(51)

• I just **came back** from (a) vacation.
(私はちょうど休暇から戻ってきたところだ)

♣ 比喩的に「(記憶・流行・人気などが)戻ってくる」というときにも使える。

110 come from

(～の)**出身である** (= be from), (～に)**由来する**

• Where does your family originally **come from**?
(ご家族はもともとどこのご出身ですか)

• Where did the name "Olympics" **come from**?
(「オリンピック」という名称の由来は何ですか)

♣ 「出身」の意味では常に現在形で使う。

111 come out

出てくる, 現れる

• After a brief shower, the sun **came out**. (にわか雨の後，太陽が出てきた)

• The next issue of IT-WORLD will **come out** on January 7.
(IT-WORLD の次号は 1 月 7 日発行です)

♣ 「(新製品や本が)出る」「(真実が)明らかになる」「結果が出る」など，出てくるものによってさまざまな意味になる。

112 get back

(～から・～へ)**戻る** (from, to) (= return),
《get ~ back で》(～を)**取り戻す**

• I just **got back** from my business trip to San Diego.
(私はサンディエゴへの出張から戻ってきたところだ)

• I have to **get back** to the office. (職場へ戻らなくては)

• Can I return this and **get** my money **back**?
(これを返品してお金を戻してもらえますか)

113 get along

(仕事などが)**はかどる** (= get on (3)),
(人と)**うまく折り合っていく** (with)

• How are you **getting along** these days?
(最近仕事ははかどっていますか[調子はどうですか])

• They're **getting along** well with *each other*.
(彼らはお互いうまくやっている) ➡(96)

114 get in

(列車・飛行機などが)**到着する**,
(車などに)**乗る**(⇔ get out (of) (116))

- Alice's plane **got in** *on time* and I met her at the gate.
  (アリスの飛行機は時間どおりに到着し，私はゲートで彼女を迎えた) ➲(86)
- Please **get in** the car. I'll *drive you* home.
  (どうぞ車にお乗りください。お宅まで送りますよ) ➲(601)

♣「～へ到着する」は **get to** (4) を使う。 電車・バスなどの「乗り物」に乗る場合は **get on** (3) を使う。

115 get off

(乗り物などから)**降りる**(⇔ get on (3)),
(仕事・電話などを)**終える**

- I'll **get off** at the next stop.(次の停留所で降ります)
- He **got off** the train at Paddington.(彼はパディントンで列車を降りた)
- When I **get off** work, I will call you.(仕事が終わったら電話するよ)

♣「降りる」は乗り物全般に使う。 ⇒ **get out (of)** (116)

116 get out (of)

(～から)**出る**,(車などから)**降りる**,
(～から知識・感情を)**得る**

- Fire! Fire! **Get out of** the house!
  (火事だ！　火事だ！　家の外に出ろ！)
- The policeman ordered the driver to **get out of** his car.
  (警官は運転手に車から降りるように命じた)
- There's not much we can **get out of** this report.
  (この報告書から得るものは大してない)

♣「降りる」は車など身をかがめて降りるものに使う。

117 get together

(～のために・～をするために)**集まる**[**集める**]
(for, to do)

- Let's **get together** for a drink after work.
  (仕事が終わったら飲みに集まろう)

118 get up

起きる,《get A up で》〈人〉を**起こす**,
(座った姿勢から)**立ち上がる**

- I **got up** at five o'clock this morning.(今朝は 5 時に起きた)
- Can you **get me up** at five?(5 時に起こしてもらえますか)
- Please do not **get up** when the "fasten seatbelts" sign is on.
  (「シートベルト着用」のサインが点灯している間は，席をお立ちにならないようお願いいたします)

♣目覚めてベッドを出ること。「起こす」もベッドを出るまで見届ける意味合い。
⇒ **wake up** (183)

100 200 300 400 500 600 700 800 900

動詞句②

119	**give** A **a call**	〈人〉に電話する

- I'll **give** them **a call** to *make sure* this time change is OK.
  (この時間変更が OK かどうか，電話してみるよ) ➲(45)

♣ give A a call back で call (A) back (149) と同義になる。make a call は単に「電話をかける」。

120	**give ~ back**	〈物〉を返す(= return)

- He **gave back** all the money he had borrowed.
  (彼は借りたお金をすべて返した)
- **give** the book **back** to her (その本を彼女に返す)

♣ give B A back「〈人〉に〈物〉を返す」の形もある(B が代名詞など短い語句の場合)。
The ATM won't give me my card back. (ATM がカードを返してくれない)
「返す」の類語については take ~ back (142) 参照。

121	**go ahead**	先へ進む[行く]，(話・仕事などを)先に進める(with)

- **Go ahead!** (どうぞお先に，話を続けてください，どうぞ〔許可〕)
- Let's **go ahead** with this plan.
  (この計画を先に進めよう)

♣ go (on) ahead「(人より)先に行く」の意味もある。

122	**go away**	立ち去る，(休暇などで)出かける，(痛み・熱などが)なくなる

- Just **go away!** (すぐに立ち去れ！)
- We're **going away** for the weekend.
  (週末は出かけるよ)
- The pain has mostly **gone away**.
  (痛みはほとんどなくなった)

123	**go back**	(～へ)戻る(to)

- Click on the left arrow if you want to **go back**.
  (戻りたい場合は左矢印をクリックしなさい)
- When did she **go back** to Italy? — Just a few days ago.
  (彼女はいつイタリアに戻ったんですか—ほんの数日前です)

124 go down

(温度・数値などが)**下がる**(= come down (322)), (太陽・船などが)**沈む**

- Disk drive prices have dramatically **gone down** as their capacities have *gone up*.
  (ディスクドライブの価格は容量が大きくなるにつれて劇的に下がっている) ➲(128)
- The Titanic **went down** after striking an iceberg in the North Atlantic in 1912.
  (タイタニック号は 1912 年北大西洋で氷山に衝突して沈没した)

♣「(高い所から)降りる」が基本の意味。
The man is going down the stairs.(その男性は階段を降りている)

125 go on

(~を)**続ける**(with, doing) (= continue),〔事が〕(~に)**起きる**[**進む**] (with), (次の議題などへ)**移る**(to)

- I just can't **go on** living without you.
  (君なしでは私はとても生きてはいけない)
- What's **going on** with the people next door?
  (隣の人たちに何が起こっているの?)
- We have to **go on** to the next step.
  (私たちは次の段階に進まなくてはならない)

♣ go on to do は「続けて[次に]~する」。go に on ~が続くことも多い。
go on a trip [picnic, date, etc.]「旅行[ピクニック, デートなど]に行く」
⇒ keep (on) doing (132), carry ~ on (535)

126 go out

(食事などに)**外出する**(for, doing),
(火・明かりなどが)**消える**

- Let's **go out** for dinner.(夕食に出かけよう)
- The fire **went out** *by itself*.(火は自然に消えた) ➲(246)

♣ go out with は「~と外出する」のほかに「(異性と)交際する」の意味がある。go out of は「~から出る」。go out of business で「商売[事業]をやめる, 倒産する」の意味。
⇒ go into (341)

127 go over

(~の所へ)**行く**(to),
(~を)**詳しく調べる**[**検討する**]

- Why don't we **go over** there for a better view?
  (もっといい景色があるから, あそこに行ってみない?)
- Let's **go over** the plan just one more time.
  (もう一度だけその計画を検討しましょう)

♣「渡って[越えて]行く」が基本の意味。TOEIC では 2 番目の意味が多い。
⇒ come over (323)

128	**go up**	(数量が)**増える**, (物価・温度などが)**上がる**(⇔ go down (124)), (建物が)**建つ**

- Energy prices **went up** by 0.2 percent in May.
  (エネルギー価格が 5 月に 0.2%上昇した)
- A new building is **going up** across the street.
  (通りの向こう側に新しいビルが建設中だ)

♣ あとに to ~と続けると「〈場所・人〉へ近づく」の意味。 ⇒ **up to** (90)

動詞句 ③

129	**hear about**	(~について)**聞く**

- Did you **hear about** the plane crash last night?
  (昨夜の飛行機事故について聞きましたか)

♣ hear の後に that や wh- の文もとる。

130	**hear of**	(~を)(聞いて)**知る・知っている**

- I've never **heard of** such a thing!(そんなこと聞いたこともない!)

♣ 完了形の疑問文・否定文で用いることが多い。 ⇒**hear from** (29), **hear about** (129)

131	**keep ~ up**	(~を)**続ける**(= continue), (~を)**維持する**(= maintain, support)

- Exercise is good, but you need to **keep** it **up**.
  (運動はよいことですが, それを続けることが大事です)
- **Keep up** the good work!(その調子でがんばって!)

♣ ⇒ **keep (on) doing** (132), **keep up with** (564)

132	**keep (on)** doing	(~し)**続ける**(= continue)

- **Keep** going straight until you *get to* the traffic light, then turn left.
  (信号に行き着くまで, まっすぐ進んでから左へ曲がってください) ➲(4)
- **Keep** trying. Don't give up!(努力を続けて。あきらめないで!)

133	**keep** A doing	〈人〉に(~させて)**おく**, 〈物〉を(~した)**状態にする**

- Sorry to **keep** you waiting.(お待たせしてすみません)
- **Keep** the heat running on high.(暖房を強くしておいてください)

♣ keep A C の「〈物〉を〈状態〉に保つ」の C が doing になった形。「~させない」は **keep (A) from doing** (348)。

134 look after

(~の)世話をする(= take care (of) (198))

- I can **look after** your children while you are out.
  (あなたが出かけている間は私がお子さんの世話をしてあげられますよ)

135 look[watch] out

(~に)気をつける(for)

- **Look**[**Watch**] **out**!(気をつけて!)
- **Watch out** for that guy over there!
  (あそこにいる男に気をつけて!)

♣ 命令文で使うことが多い。look out は基本の意味「外を見る」もよく使う。

136 put ~ down

(~を)下に置く[降ろす],
(名前・住所などを)書く・登録する

- Is it all right to **put** my bag **down** here?
  (ここにカバンを置いてもいい?)
- Please **put** your name **down** here.
  (ここにお名前をお書きください)

♣ put A down for で「(~に)申し込む[登録する]ために〈人〉の名前を書く」。
⇒ write ~ down (185)

137 put ~ in

(機器などを)取りつける,(書類・要請などを)提出する,(時間・労力を)費やす

- Please **put in** new batteries once a year.
  (年に1回は新しいバッテリーを取りつけてください)
- You should **put in** an application for admission today.
  (今日入会申込書を提出してください)
- I will **put in** whatever time and effort it takes to accomplish the goal.
  (目標達成のためには,いかなる時間も努力も惜しみません)

♣ put の受け身形で,be put in〈場所〉の形になることも多いので,混同しないように注意。

138 put ~ off

(~を)延期する(= postpone)

- Don't **put off** until tomorrow what you can do today.
  (今日できることを明日に延ばすな〔ことわざ〕)

♣ push back や put back も同じ意味で使うことができる。 ⇒ call ~ off (533)

動詞句 ④

139 put ~ out

(火・電気などを)消す(=extinguish), (声明・本・番組などを)出す(= issue)

- **put** the fire **out** by pouring water on it(水をかけて火を消す)
- She **put out** a new album in March.
  (彼女は3月に新しいアルバムを出した)

♣「外に出す」が基本の意味。もちろん, この意味で使うことが多い。

140 put A through

〈人〉の電話を(～に)つなぐ(to)(= connect)

- If Mr. Martin calls, just **put** him **through** to me right away.
  (マーティン氏から電話があったら, すぐに私につないでください)

♣「通り抜けさせる」が基本の意味。ほかに「(議案・申請などを)通過させる」「人に(試練など)を経験させる」などの意味になる。 ⇒ go through (342), get through (755)

141 put ~ up

(～を)掲げる(= raise), (～を)建てる・設ける(= build), (人を)泊める

- **put up** a "No Parking" sign(『駐車禁止』の掲示を貼る)
- **put up** a building(ビルを建てる)
- **put up** a tent(テントを張る)
- I can **put** you **up** for two nights.(二晩なら泊められるよ)

♣「(～を)上に上げる」が基本の意味。put up A for sale で「〈家・事業など〉を売り出す」の意味。 ⇒ for sale (253)

142 take ~ back

(物を)返す, (前言を)取り消す

- I have to **take** this book **back** to the library on Friday.
  (この本を金曜日に図書館に返さなくてはならない)
- He **took back** what he had said.
  (彼は自分の言ったことを撤回した)

♣「返す」意味のtake, bring, give。take ~ back は「(第三者へ)返す」, bring ~ back (145) は「(話者あるいは話し相手へ)返す」, give ~ back (120) は「(現在あるいは元の持ち主に)返す」という意味合い。

143 take ~ out

(～を)取り出す[持ち出す], 〔食事・映画などに〕(～を)連れて行く

- Don't forget to **take out** the garbage.(ゴミを出すのを忘れないで)
- I would like to **take** you **out** tonight.
  (今夜あなたをお誘いしたいのですが)

♣ take out a loan「(銀行などから)金を借りる」。take-out は形容詞で「テイクアウトの」, 名詞で「テイクアウトの料理」の意味。
a take-out restaurant(テイクアウト・レストラン)

144 take ~ up

(場所・時間を)**とる**, (問題・提案などを)**取り上げる[入れる]**, (趣味・仕事などを)**始める**(doing)

- Sorry to **take up** your time.(時間をとらせてごめんなさい)
- I'll **take up** that question at the next meeting.
  (その問題は次の会合で取り上げます)
- I **took up** playing the bass guitar.
  (私はベースギターを弾き始めた)

♣ take に up to (90) が続いて take up to ten days「(最大)10 日まで」のような形になることがある。これを take up と混同しないように。

145 bring ~ back

(物を)**持ち帰る**・(人を)**連れて帰る**, (物を)**返す**・**戻す**(= return)

- He **brought back** lots of souvenirs.
  (彼はたくさんのお土産を持って帰ってきた)
- Please *fill out* this form and **bring** it **back** to me.
  (この用紙に記入してこちらにお返しください) ➲(26)

♣「記憶を戻す」から「(物・事が)思い出させる」の意味にもなる。
「返す」の類語については ⇒ take ~ back (142)。

146 bring ~ up

(問題などを)**持ち出す**, (~を)**育てる**(= raise)

- I will **bring up** this issue at the next meeting.
  (私はこの問題を次の会合に持ち出すつもりだ)
- He was **brought up** in a musical atmosphere.
  (彼は音楽的な環境で育てられた)

♣「育てる」の意味は例文のように受け身形が多い。

147 believe in

(~の存在・価値を)**信じる**, (人を)**信頼する**

- I *was brought up* to **believe in** the equality of people, and I think people who **believe in** equality **believe in** peace.
  (私は人間の平等を信じるように育てられた。そして平等を信じている人は平和も信じていると思う) ➲(146)
- I **believe in** you with all my heart.
  (私はあなたを心から信じています)

♣ believe A は「〈人〉(の言葉)を信用する」。2番目の例文の with all my heart は「心から, 心を込めて」。

148 **belong to** | (団体などに)**所属している,** 〔物が〕(~の)**所有である**

- He **belongs to** the party's largest faction.
  (彼はその政党の最大派閥に属している)
- Do those cars **belong to** the company?
  (あれらの車は会社所有のものですか)

動詞句⑤

149 **call** (A) **back** | (〈人〉に)**折り返し[あとで]電話をする**

- Would you like to leave a message? — No, thanks. I'll **call back** later.
  (伝言を残されますか — いいえ，結構です。あとでかけ直します)
- Please **call** me **back** in 30 minutes.(30分後にかけ直してください)

150 **call for** | (~を)**要求する**(= demand, request), (~を)**必要とする**(= require, need)

- They are **calling for** wage increases of five percent.
  (彼らは5%の賃上げを要求している)
- Drastic times **call for** drastic measures.
  (厳しい時代には厳しい(抜本的な)手段が求められる)

151 **check in** | (ホテル・空港などで)**チェックインする,** 《check ~ in で》(手荷物などを)**預ける**

- I'd like to **check in**, please.(チェックインをお願いします)
- I'd like to **check in** this bag.(このバッグを預けたいのですが)

> ♣「ホテルにチェックインする」は check in at A または check into A とする。
> He checked into the hotel at 6:30 p.m.
> (彼は午後6時30分にホテルにチェックインした)

152 **check out** | (ホテルを)**チェックアウトする,** 《check ~ out で》(~を)**確認[点検]する,** 〔図書館で〕(本を)**借り出す**

- I'd like to **check out**.(チェックアウトをしたいのですが)
- I'll **check** it **out** right away.(すぐにそれを確認します)
- I'd like to **check out** these books.
  (これらの本を借り出したいのですが)

> ♣「ホテルをチェックアウトする」は check out of A。
> check ~ out で「(評判のよい商品などを)チェックする・注目する」という意味もある。
> Check it out! の形で宣伝文などでよく使う。

153 complain about[of]
(~について)不満[苦情]を言う,
(苦痛などを)訴える

- What is he **complaining about**?
  (彼は何について不平を言っているの?)
- **complain of** chest pains(胸の痛みを訴える)

♣「苦痛を訴える」意味では of のみを使う。complain to A (about B)「〈人〉に(~について)〈不満・苦情〉を言う」のようにも用いる。また complain that もある。

154 consist of
(~から)成り立つ[構成される] (= comprise)

- The board **consists of** five directors.
  (取締役会は 5 人の取締役で構成されている)

155 deal with
(問題などを)処理する(= cope with)

- They had a meeting to discuss how to **deal with** the problem.
  (彼らはその問題をどのように処理するか話し合うために会議を開いた)

156 depend on[upon]
(~)次第である,(~に)依存する・頼る,
(~を)信頼する

- The price varies, **depending on** which month you travel.
  (料金は旅行する月によって変わります)
- China **depends on** exports for its higher standard of living.
  (中国はその高い生活水準を輸出に依存している)
- I think I can **depend on** Mr. Taylor.
  (私はテイラー氏は信頼できると思う)

♣「依存する・頼る」は depend on A for B「〈B〉を〈A〉に頼る」の形になる。
⇒ rely on[upon] (369), count on[upon] (742)

157 eat out
外食する(⇔ eat in「家で食べる」)

- There's no time to cook dinner, so let's **eat out** tonight.
  (夕食を料理する時間がないので今夜は外食にしよう)

158 end up
最終的に(~に)なる(with, in, doing)

- **end up** with nothing(何にもならずに終わる[徒労に終わる])
- Construction **ended up** costing $128 million more than the original budget.
  (建設工事は結局,当初予算より 1 億 2800 万ドル余計にかかった)

100 200 300 400 500 600 700 800 900

動詞句⑥

159 feel like

(～が)欲しい・(～したい)気がする(doing),
(～の[である]ような)気がする(=feel as if[though])

- I **feel like** a cup of hot chocolate.
  (ホットチョコレートが1杯欲しい[飲みたい])
- I **feel like** watching a movie tonight.
  (今夜は映画を見たい気がする)
- After my trip to India, I **felt like** a different person.
  (インド旅行の後，自分が別の人間のように感じた)
- I **felt like** I was in a completely different world.
  (まったく別世界にいるような気がした)

♣ ⇒ as if[though] (442)

160 grow up

(～で・～に)成長する(in, into, to be)

- She **grew up** in a strict, religious family.
  (彼女は厳格で信仰心のあつい家庭で育った)
- I want my child to **grow up** to be a happy and healthy person.
  (私は自分の子どもが幸せで健康な人に育ってほしい)

♣ grown-up は名詞で「大人・成人」，形容詞で「成人した」の意味。

161 hand ~ in

(書類などを)提出する

- Have you **handed in** the budget request for next year?
  (来年の予算請求はもう提出した？)

♣ turn ~ in (385) も同義。

162 hand ~ out

(チラシ・プリントなどを)配る(= distribute)

- We'll be **handing out** printed copies of the press release.
  (プレスリリースのプリントを配ります)

♣ 教室で配る「プリント」を handout という。 ⇒ give ~ out (553), pass (~) out (782)

163 hang ~ up

(電話を)切る，(～を)つるす

- Shall I **hang up** and *call you back*? (いったん切って，かけ直しましょうか)
  └➲(149)
- Would you like me to **hang up** your coat for you?
  (コートをおかけしましょうか)

♣ 昔の電話は切るとき受話器をつるしたことから「電話を切る」の意味ができた。

164 **happen to** do — 偶然(~する)

- Do you **happen to** know his e-mail address?
  (ひょっとして彼のEメールアドレスを知っている?)
- Please *drop in* on us if you **happen to** be coming this way.
  (こちらの方へおいでになることがありましたら，どうぞお立ち寄りください)　➲(330)

♣ happen to A は「〔事が〕A に起きる」。What happened to A? で「A はどうなってしまったのだろう」という意味になる。　⇒ by any chance (864)

165 **join in** — (楽しむための活動に)参加する・加わる

- Everyone **joined in** the conversation.
  (皆が会話に加わった)

♣ join A は「〈組織〉に加わる,〈(一般的な)活動〉に参加する」の意味。2番目の意味では join in と重なるが，ニュアンスに違いがある。
join the tennis club(テニスクラブに入る)
join the debate(議論に加わる)　⇒ take part in (199)

166 **leave ~ behind** — (~を)置き忘れる[置き去りにする]

- I **left** my wallet **behind** at the restaurant.
  (レストランに財布を置き忘れてきた)

♣ A is left behind「〈A〉が置き去りにされる」の形でもよく使う。

167 **move in** — 入居する・〔新居へ〕引っ越す

- Sign a one-year lease and you can **move in** immediately.
  (1 年間の賃貸契約を結べば，すぐに入居できます)

♣ move into A で「〈新しい家・ビルなど〉へ引っ越す」。　⇒ move to (31)

168 **move out** — (~から)引っ越す・出て行く(of)

- She **moved out** last night.
  (彼女は昨晩引っ越して行った)
- He decided to **move out** of the city.
  (彼はその都市から出て行くことに決めた)

♣「(引っ越して)出て行く」こと。「引っ越して来る」は move in (167) を使う。あとに「場所」を続けるときは move to (31)。

動詞句 ⑦

169	**reply to**	(質問などに)**返答する**, (手紙などに)**返事をする**

- He didn't **reply to** the question.
  (彼はその質問に答えなかった)
- Please **reply to** this e-mail with your responses by September 12.
  (この E メールに回答をつけて 9 月 12 日までに返信してください)

♣ answer よりかたい言い方。

170	**search for**	(〜を)**捜す**(= look for)

- Rescue crews are still **searching for** the nine passengers.
  (救助チームはまだその 9 人の乗客を捜索している)

♣ search A は「〈場所〉を捜索する」, in search of は「〜を捜して(いる)」。

171	**seem like**	(〜のように)**思える**・(〜の)**ようだ**

- Buying a new car **seemed like** a good idea at the time.
  (当時は新車を買うことがいい考えに思えた)

♣ seem to do[be] で「〜するように思える」。it seems that で「…のように思われる」の意味。
The machine seems to be operating smoothly.
(機械はスムーズに作動しているようだ) ⇒ look like (9)

172	**sell** (A) **for**[**at**] B	〈物・商品〉を〈金額〉で**売る**・**販売する**, (物・商品が)〈金額〉で**売れる**・**売られている**

- He **sold** his house **for** $150,000. (彼は家を 15 万ドルで売却した)
- The chairs are handmade and **sell at** $500 each.
  (いすは手作りでそれぞれ 500 ドルで売られている)

♣ for は金額に焦点がある。at は「定価」という意味合い。

173	**send 〜 back**	(〜を)**送り返す**

- Please *fill* the form *out* and **send** it **back** to us.
  (用紙にご記入のうえご返送ください) ➲(26)

174	**sit down**	**座る**

- Please **sit down**. (どうぞお座りください)

- They are **sitting down** talking to each other.
  (彼らは座って話し合っている)

♣「座る」動作を表すが, 進行形にすると「座っている」状態になる。 場所を明示するときは down は使わないほうがふつう。
The man is sitting (down) on the steps.(その人は階段に座っている)

175 **stand up** ｜ 立ち上がる(= rise)

- *Come on*, **stand up**.(さあ, 立ち上がって) ➲(324)

♣比喩的に使うことも多い。stand up for「(～のために)立ち上がる」, stand up to「(危険・困難などに)立ち向かう」などの意味になる。
stand up for the freedom of expression(表現の自由のために立ち上がる)

176 **start[begin]** (A) **with** B ｜ 〈A〉を〈B〉で始める・〈B〉で始まる

- He **started** his speech **with** a joke.
  (彼はスピーチをジョークで始めた)
- Would you like to **start with** an appetizer or a main course?
  (前菜から始めますか, それともメインコースから始めますか)

♣ begin のほうが少し《フォーマル》。 ⇒ to start[begin] with (279)

177 **switch ~ on[off]** ｜ (電源を)入れる[切る]

- Have you checked that the power is **switched on**?
  (電源が入っていることを確認しましたか)

♣特に電源スイッチを操作する場合。 一般には turn ~ on[off] (40) を使う。

178 **try ~ on** ｜ (～を)試着する

- I'd like to **try** this **on**.(これを試着したいのですが)

動詞句⑧

179 **turn** (A) **into** B ｜ (〈～〉を)〈～〉に変える, 〈～〉に変わる・なる(= become)

- We can't **turn** this company **into** a profit-making concern overnight.
  (われわれには一夜のうちにこの会社を利益をあげる会社にすることはできない)
- Every discussion with him **turns into** an argument.
  (彼との話し合いはいつも口論になる)

180 **turn ~ down** (音量・火力などを)**小さく[弱く]する**(⇔ turn ~ up (181)), (申し出などを)**断る**(= refuse, reject)(⇔ accept)

- *How about* if I **turn down** the air conditioner?
  (エアコンを弱くしてもいいですか) ➡(101)
- We have to **turn down** your request, as market conditions are very poor *at the moment.* ➡(241)
  (今のところ市場の状況が非常に悪いので，あなたのご依頼はお断りせざるを得ません)

181 **turn ~ up** (音などを)**大きくする**(⇔ turn ~ down (180)),《turn up で》(人が不意に)**姿を見せる**(= appear), (物が)**見つかる**

- **turn up** the radio(ラジオの音量を上げる) ➡(284), (427)
- I *have no idea* where she is. But I'*m sure* she'll **turn up** soon.
  (彼女が今どこにいるかは分かりませんが，きっとすぐに姿を見せると思います)

182 **type ~ in** 〔キーボードで〕(~を)**入力する**

- **Type in** your password and press the Enter key.
  (パスワードを入力し，Enter キーを押してください)

183 **wake up** **目が覚める**,《wake A up で》〈人〉**の目を覚まさせる[〈人〉を起こす]**

- I often **wake up** *in the middle of* the night.
  (私はしょっちゅう夜中に目が覚める) ➡(266)
- Can you **wake** me **up** at 7:00 tomorrow morning?
  (明日の朝 7 時に起こしてもらえる?)

♣ ⇒ get up (118)

184 **work ~ out** (計画・予算・解決策などを)**作り上げる**,《work out で》(良い)**結果となる**, **トレーニングをする**

- **work out** a plan[budget] for next year (来年度の計画[予算]を作成する)
- *Don't worry.* Things will **work out** (for the best).
  (心配しないで。結局はうまくいくよ) ➡(389)
- She **works out** at the fitness center *every other* morning.
  (彼女は 1 日おきの午前中にフィットネスセンターでトレーニングをする) ➡(500)

185 **write ~ down** (情報・アイデアなどを)**書き留める**

- *At the end of* every week, I **write down** what I've done during the week.
  (毎週末，私はその週に自分がやったことを書き留める) ➡(72)

♣ put ~ down (136), take ~ down (592), mark ~ down (774) なども似た意味。

動詞＋名詞・助動詞①

186 **do** one's **best**　最善をつくす

- I promise you that I will **do my best** if elected president.
  (自分が会長に選出されましたならば，最善をつくすことをお約束します)

♣ try one's best とも言う。

187 be[**make**] **friends** (**with**)　(～と)親しい［親しくなる］

- He'**s friends with** my brother.(彼は私の兄と親しい)
- I **made friends with** Chandler at the party.
  (私はパーティーでチャンドラーと親しくなった)

♣ friends と，常に複数形を使うことに注意。「親しくなる」には become も使える。
「(～の)友だち」と言うときは a friend of one's と言う。
a friend of mine(私の友だち)

188 **enjoy oneself**　楽しく時を過ごす(= have a good time)

- Are you **enjoying yourself**?(楽しんでいますか)

♣ enjoy doing で「～をして楽しむ」。

189 **get to know** [**understand**]　(～を)よく知る［理解する］ようになる

- His first act was to **get to know** his staff.
  (彼が最初にしたことはスタッフを知ることだった)

190 **have a** ... **time**　(…な)時を過ごす，(…な)目にあう

- **have a** good[happy, wonderful] **time**
  (楽しい［幸せな，すばらしい］時を過ごす)
- **have a** difficult[hard] **time** (doing)((～するのに)つらい［ひどい］目にあう)
- I **had a** nice **time**. Thanks for inviting me.
  (楽しい時を過ごしました(楽しかったです)。招待してくれてありがとう)

191 **have**[**take**] **a look** (**at**)　(～を)(ちょっと)見る(= look at)

- **Take a look at** our web site for the ideal Mother's Day gift.
  (理想的な母の日ギフトを探しに，私たちのウェブサイトを(ちょっと)ご覧ください)

♣ have a good[close] look at は「(～を)丹念に見る」という意味。

192 **leave a message** (～へ)伝言を残す(for)

- Could I **leave a message**?
（伝言をお願いしたいのですが）

♣ 受けるほうは take a message「伝言を受ける」と言う。

193 **make up** one's **mind** 決心する(= decide, determine)

- I'll give you 30 seconds to **make up** your **mind**.
（決心するのに 30 秒与えてやるよ）

♣ make one's mind up とも言う。change one's mind は「意見を変える，気が変わる」。 ⇒ make ~ up (772)

194 **pay attention (to)** (～に)注意を払う

- You have to **pay** more **attention to** details.
（細かい所にもっと注意しなければいけませんよ）

♣ attention は「注意，注目」の意味。常に単数形で使う。アナウンスの最初の呼びかけ，(May I have your) attention, please. や最後の Thank you for your attention. などは TOEIC 頻出の表現。

195 **shake hands (with)** (～と)握手する

- The two leaders **shook hands**.
（2 人の指導者は握手を交わした）
- The president **shook hands with** each member of the team.
（大統領はチームのメンバー一人ひとりと握手を交わした）

♣ 常に hands と複数形を使う。

動詞＋名詞・助動詞②

196 **take a break** 休憩を取る

- Let's **take a break** now.（さあ，休憩を取ろうよ）

♣ take a rest も同義。break は「(仕事などの)中断」の意味。
a lunch break「昼休み」, a coffee break「コーヒーブレイク」

197 take advantage of （機会などを）利用する

- We hope you will **take advantage of** this rare opportunity.
（このめったにない機会をぜひご利用ください）

♣ advantage は「有利な点」。have the advantage of で「～という有利な点［強み］を持つ」の意味。

198 take care (of) 〔責任を持って〕（～を）取りはからう，（～の）世話をする

- I'll send someone to **take care of** it right away.
（すぐにそれを処理する者を差し向けます）
- Can you **take care of** my baby *for a while*?
（しばらく子どもの面倒を見てくれる？） ➲(434)

♣ take care は「気をつける」という意味。 あとに to do や that を続けることもある。
take care (to do, that)「…するように注意する」。
Take care!（お大事に）
care for (319), look after (134) も同義。

199 take part in （～に）参加する

- Thousands of people travel there each year to **take part in** the festival.
（毎年，何千という人々が，その祭りに参加するためにそこに行く）

♣ join in (165), participate in (361) も同義。

200 had better do （～した［する］）ほうがよい

- I'**d better** *go up* and *talk to* her.
（彼女の所に行って話をしなくては） ➲(128), (15)
- You'**d better** *hurry up*.（急いだほうがいいよ） ➲(559)

♣ 'd better の短縮形でよく用いる。You'd better do. は相手に忠告する言い方。

be 動詞句①

201	be (**just**) **about to** do	まさに（～しようと）している

- What's the rush? — The show **is about to** start and I don't want to miss it.（何をそんなに急いでいるの？ — ショーが始まりそうで，見逃したくないんだ）

♣ ⇒ be ready for [to do] (56)

202	be **afraid of**	（～（するの）を）恐れる（doing）

- What **are** you so **afraid of**?
（何をそんなに恐れているの？）
- She still loves Ryan, but **is afraid of** getting hurt again.
（彼女はまだライアンを愛しているが，再び傷つくことを恐れているんだ）

♣ be afraid to do や be afraid that の形もある。I'm afraid (that) は「残念ながら…」と，よくないことや期待に添えないことを言うときのていねいな表現。
I'm afraid we don't have it in stock.（申し訳ありませんが，それは在庫しておりません）

203	be **close to**	〔距離・時間・程度が〕（～の）すぐ近くで，（～）しそうである（doing）

- A boy **is** standing **close to** the wall.
（少年が 1 人，壁のすぐ近くに立っている）
- It **was close to** midnight when someone knocked on the door of my house.（誰かが家のドアをたたいたのは真夜中近くだった）
- They **were close to** reaching an agreement, but the deal fell through.
（もう少しで合意に達するところだったが，交渉は決裂した）

▸ fall through「失敗に終わる」

♣ come close to doing で「もう少しで［あわや］～する」
come close to winning the game（試合に勝ちそうだ）

204	be **different from**	（～と）異なる，（～と）別の

- The growth pattern this year should **be** very **different from** last year.
（今年の成長傾向は去年とはまるで異なるはずだ）

♣ from の代わりに than を使うこともある。特にあとに文を続けるときは be different than ... が多い。
The market today is very different than it was ten years ago.
（今日の市場は 10 年前とはずいぶん違っている）

205 be **familiar with** 〔人が〕(物・事を)よく知っている

- **Are** you **familiar with** e-commerce today?
  (あなたは現在の電子商取引に精通していますか)

♣ familiarize A with B で「〈A〉を〈B〉に慣れさせる」。 ⇒ be familiar to (618)

206 be **fond of** (〜(すること)が)大好きである(doing)

- He **is fond of** basketball.
  (彼はバスケットボールが好きだ)
- She **is fond of** reading detective stories.
  (彼女は推理小説を読むのが好きだ)

♣ like very much がふつう。

207 (be) **in a hurry** あわてて(いる), 急いで(いる)

- I'**m in a hurry**. Could you rush my order, please?
  (急いでるんです。(私の)注文を早くしてくれませんか)

♣ to do をあとに続けることも多い。反対は be not in any hurry か be in no hurry「急がない(で)」とする。There is no hurry. は「急ぐ必要はない」。
⇒ hurry up (559), (be) in a rush (841)

208 be **in charge of** (〜を)管理している, (〜に)責任を持っている (= manage, be responsible for (65))

- I **am in charge of** the marketing department.
  (私はマーケティング部を管理しています[部長です])
- Who **is in charge of** public relations?
  (広報活動の責任者は誰ですか)

♣ take charge (of) は「(〜の)管理[責任]を引き受ける」という意味。charge「料金」の意味は free of charge (466) 参照。

209 be[**fall**] **in love (with)** (〜に)恋している[恋をする], (物・事が)とても気に入っている[大好きになる]

- They **are in love with** each other.
  (2人は愛し合っている[相思相愛だ])
- I **fell in love with** jazz when I was eleven.
  (11歳のとき, 私はジャズが大好きになった)

♣ fall in は「(〜に)落ちる, (建物などが)崩れる」。

100 200 300 400 500 600 700 800 900

210 be[**keep**] **in touch (with)**	(～と)連絡がある［連絡を保つ］

• Goodbye, Max. Let's **keep in touch**.
(さようなら，マックス。連絡をとり続けようね)

♣ 電話や手紙などで連絡し合うという意味。be は連絡がある状態，keep は積極的に連絡を保つ。keep のほかに stay も使う。get in touch は「連絡をとる」，反対は be out of touch (with)。
I will get in touch with you when I get back.(戻ったら連絡します)

be 動詞句②

211 be **known for**	(～で)知れ渡っている・有名である

• Our town **is known for** the glasswork that has been produced for centuries.
(私たちの町は何世紀にもわたって生産されてきたガラス細工で知られています)

♣ be known as は「～として(広く)知られている」。be famous for (412) がより強意。

212 be **late for**	(会議・約束などに)遅れる

• I'm going to **be late for** my appointment.(約束に遅れそうです)

♣「～するのが遅れる」は late (in) doing とする。
I'll be late coming home tonight.(今夜は帰宅が遅れるよ)
また，be running late で「(今)遅れている」という意味。
I'm running late, so I will tell you on the way out.(遅れているんで途中で話すよ)

213 be **likely to** do	(～)しそうだ，(～)らしい(⇔ be unlikely to do)

• Which candidate do you think **is** most **likely to** win?
(どの候補が最も勝ちそうだと思いますか)
• According to the article, what **is likely to** happen soon?
(その記事によると，近いうちに何が起こりそうですか)〔TOEIC の問題文〕

♣ be likely that の形でも使える。

214 be **made of**	(材料で)作られている・できている

• Did you know that in some countries money **is made of** plastic?
(いくつかの国では，お金がプラスチックで作られているって知ってました？)

♣ 材料の質が変わらない場合。be made out of も同義で，特に材料を強調する。
⇒ be made up of (844)

215	be **made from**	（原料から）作られている

- The knives are **made from** high-carbon, stainless steel.
（そのナイフは高炭素のステンレス鋼で作られている）

♣ 材料の質が変わる場合。

216	be[**get**] **married** (**to** A)	（〈人〉と）結婚している［する］

- She **is married to** a Chinese-born American citizen.
（彼女は中国生まれのアメリカ人と結婚している）
- Do you think they'll **get married**? — I wouldn't be surprised.
（彼らは結婚すると思う？―驚かないね）

♣ 次のように比喩的に（皮肉を込めて）使うこともある。
He is married to his work.（彼は仕事と結婚している［仕事ばかりしている］）

217	be[**fall**] **short of**	（～が）不足している［不足する］， （目標・期待などに）達しない

- We **are** still **short of** concrete evidence.（いまだ具体的な証拠が不足している）
- The team finished fifth, **falling** far **short of** our expectations.
（チームは私たちの予想を大きく下回って５位に終わった）

♣ run も使えるが，ふつう進行形にする。
be running short of「～が足りなくなっている」　⇒ run out (of) (578)

218	be **sold out**	〔商品は〕売り切れである， 〔店は〕（商品が）売り切れである（of）

- Tickets for that concert **are sold out**.
（そのコンサートの券はすべて売り切れです）
- I'm sorry, we'**re sold out** of this book.
（申し訳ありません，この本は売り切れになっております）

♣ sell (~) out (579) の受け身形からきた表現。次項の例文の sold out はその自動詞用法。

219	be **surprised at**	（～に）驚く

- All of us **were surprised at** how quickly the tickets *sold out*.
（私たちは皆，チケットがあっという間に売れてしまったことに驚いた）　➲(579)

♣ at の後に「how 形容詞・副詞 S+V」が続くことが多い。ほかに be surprised to do「～して驚く」や be surprised that「…であることに驚く」。

220	be[**get**] **tired of**	(～(すること)に)**飽きている[くる]・うんざりする[してくる]** (doing)

- I'**m tired of** all the rain.(雨ばかりでうんざりだ)
- I'**m tired of** listening to your excuses.
  (もう言い訳は聞き飽きたよ)

♣ be[get] bored with (431) も同義。be[get] tired from は「～に疲れる」。

221	be[**get**] **used to**	(～に)**慣れている[慣れる]**

- You will have to **get used to** a new way of working.
  (あなたは新しい仕事のやり方に慣れていかなければなりません)
- I cannot **get used to** sleeping in this hot weather.
  (この暑さの中で眠るのには慣れることはできないね)

♣ toの後は名詞か動名詞。これをused to do (49) と混同しないように(toの後が動詞)。
また, use A to do の受け身形(be used to do)も多い。
be[become] accustomed to (608) は同義。

222	be **welcome to** do	〔人が〕**自由に**(～して)**よい**

- You **are welcome to** *stay with* us *as long as* you like.
  (お好きなだけご滞在ください) ➡(377), (290)

♣ 何かを奨励, あるいは容認する意味。You are welcome.「どういたしまして」は, お礼の言葉に対する返答。Welcome to A.「ようこそ〈場所〉へ」は, 人を歓迎するときの呼びかけ。

223	be **willing to** do	**快く**(～する)

- I'**m willing to** *take* full *responsibility*.
  (私は喜んで全責任を負います) ➡(827)

♣ ⇒ be pleased to do (52), be reluctant to do (849)

224	be **worth** doing	(～する)**価値がある**

- This book **is** really **worth** reading.(この本は本当に一読の価値がある)
- What **is worth** doing *at all* **is worth** doing well.
  (少しでもやってみる価値があるものなら何でも立派にやる価値がある)〔ことわざ〕 ➡(236)

♣ このほかに「be worth ＋名詞」の使い方がある。
be worth A「〈金額〉の価値[値打ち]がある,〈努力・労力〉の価値がある」
be worth $500(500 ドルの価値がある),
be worth the effort(努力の[する]価値がある)

TOEIC テスト　頻出連語②

★は最頻出連語 TOP 50

■店

retail sales （小売り）
online sales （オンライン販売）
shopping mall （商店街）
department store★ （デパート）
coffee shop （喫茶店）
concession (stand) （場内売り場，売店）
sales[store] clerk （店員）
vending machine （自動販売機）
checkout counter （〔店の〕レジ）
cash register★ （金銭登録機，レジ）
sales slip （売上伝票，レシート）
purchase order （注文書〔PO〕）

■販売・売上

sales strategy （販売戦略）
sales promotion （販売促進活動）
sales campaign （セールスキャンペーン）
sales presentation （セールスプレゼンテーション）
sales representative★ （営業担当者，セールスパーソン）
sales contract （売買契約）
terms and conditions （契約条件）
serial number （シリアルナンバー，製造番号）
sales figures★ （売上高，販売数）
sales cost （売上原価）
sales report★ （営業報告（書））
business trip[travel]★ （出張）
trade show★ （見本市，展示会）
business meeting （商談）
business card★ （名刺）

前置詞句・副詞句①

225 above all (else) なかでも[なによりも](重要なのは)(= especially)

- "What we must do **above all** is achieve economic recovery," he told reporters.
（「私たちが達成しなくてはならないことは，なにより景気回復です」と彼は記者団に言った）

226 across from (～の)向かいに・反対側に

- The new office is located on Pine Street, directly **across from** the post office.
（新オフィスはパイン・ストリートの郵便局の真向かいにあります）

227 after all 結局，何と言っても・つまるところ

- It was not so hard to understand, **after all**.
（結局，それは理解するのにそれほど難しくはなかった）
- Service, **after all**, is what we sell.
（サービスとは，つまるところ売るもの[何を売るか]です）

♣ ⇒ at (long) last (235)

228 all over (～の)いたる所に[の]

- Today, the Internet makes it easy to communicate with people **all over** the world.
（今日，インターネットのおかげで世界中の人々と容易に情報を交換することができる）

♣ be all over は「すっかり終わった」。
I'm very glad it's all over.（すっかり終わってとてもうれしい）

229 all the time いつも・しょっちゅう(= always)，(ある期間)ずっと続けて(= continuously)

- Why are you so angry at me **all the time**?
（どうして君はそういつも私に腹を立てているの？）
- Information on the Internet is expanding **all the time**.
（インターネット上の情報はずっと増え続けている）

♣ always のくだけた言い方。 ⇒ at all times (237)

230 along with
(～と)一緒に, (～に)加えて [同時に]

- We will send you, **along with** your purchase, a free pocket size World Atlas.
  (ご注文の品と一緒に，無料のポケットサイズの「ワールド・アトラス」をお送りします)
- Please send the bottom part of this form **along with** your payment.
  (お支払いと同時に，この申込用紙の下の部分をお送りください)

♣ ⇒ get along (113)

231 apart[aside] from
(～を)除いては, (～の)ほかに

- **Apart from** a minor change, the rules are just *the same as* in the previous game.
  (ちょっとした変更を除いては，ルールは前のゲームとみんな同じです) ➲(520)
- **Aside from** comics, what else do you read?
  (漫画のほかにはどんな本を読みますか)

♣「(～を)除いて」の意味では except for (250) と同義。

232 as of
(日時から)以降 (= starting from), (日時の)時点で

- **As of** December 15, my office address will be *as follows*:
  (12月15日以降，私のオフィスの住所は以下のとおりです) ➲(441)
- **As of** April 1, 2023 the population of our town was 120,000.
  (2023年4月1日の時点で，私たちの町の人口は12万人だった)

♣ 改まった言い方。 ⇒ by now (454)

233 as usual[always]
いつものように

- **As usual**, he's taking his afternoon nap.
  (彼はいつものように午後の昼寝をしている)
- Thanks so much for your help, **as always**.
  (いつも助けてくれて本当にありがとう)

♣ always のほうが強意。

234 as well
～もまた (= too), その上 (= in addition (76))

- Exercise is not just for your body, but for your mind **as well**.
  (運動は身体だけでなく，心のためでもある)

♣ 文末につけることが多い。A as well as B (100) の as B がない形。

前置詞句・副詞句②

235 at (long) last

ついに・ようやく (= finally)

- Free **at last**! Free **at last**! Thank God Almighty, we are free **at last**!
(ついに自由だ！ ついに自由だ！ 全能の神に感謝しよう，われらはついに自由になったことを)

♣「長い間待った結果」という意味。例文はマーティン・ルーサー・キングの "I Have a Dream" という有名なスピーチの一節。 ⇒ **after all** (227), **in the end** (264)

236 at all

《否定文で》**まったく(～ない)**,
《疑問文で》**いったい, そもそも**

- I have no appetite **at all** now. (今はまったく食欲がない)
- Are you active in politics **at all**? (あなたはそもそも政治活動には積極的ですか)

♣ Not at all.「いいえ, 全然」は, 否定の答えを強調するときに使う。
I'm sorry to bother you. — No, not at all.
(ご面倒をおかけして申し訳ありません — いいえ, 全然)
肯定文では「いやしくも」「とにかく」などの意味になる(**be worth doing** (224) の例文参照)。 ⇒ **on earth** (482)

237 at all times

いつも・常に (= always)

- While in the building, please wear your ID badge **at all times**.
(この建物内にいる間は，常に身分証を身につけていてください)

♣ always のかたい言い方。《フォーマル》な通知や指示などで使う。
⇒ **all the time** (229), **at times** (450)

238 at first

はじめは (= at the beginning)

- **At first**, I couldn't believe it. (はじめは私はまったくそれが信じられなかった)

♣ **for the first time**「はじめて」(465) と混同しないように。

239 at home

くつろいで, 家で[在宅で]

- Please make yourself **at home**. (どうぞ，おくつろぎください)
- If you work **at home**, here's all the help and expert advice you need.
(もしあなたが在宅でお仕事をしておられるのでしたら，ここに必要なすべての援助と専門的なアドバイスが用意されています)

♣「(外出しないで) 家にいる」は **stay home** がふつう。**be at home with** は「(～に) 慣れて[精通して] いる」。
be at home with both image graphics and technology
(画像処理と専門技術の両方に精通している)

240 at once

ただちに(= immediately), 同時に・一度に

- Could you come to my office **at once**, please?
  (すぐに私の事務所に来てくださいますか)
- He's doing two things **at once**.(彼は2つのことを同時にやっている)

♣ 前に all をつけると「みんな一度に(いっせいに)」の意味のほかに,「突然に」の意味になる。 ⇒ all of a sudden (437)

241 at the moment

今のところ(は)(= now)

- I'm afraid Mr. Ito is not at his desk **at the moment**.
  (すみませんが伊藤はただ今席におりません)

♣ at that moment「〔過去の〕ちょうどそのとき」, (at) any moment「(ある期間内の)いつなんどきでも」, for the moment「さしあたり, 当面は」
⇒ for a minute[moment] (252), for the time being (868)

242 at the same time

同時に(= at once (240)), (しかし・また)同時に～

- The man is juggling five balls **at the same time**.
  (その男性は同時に5つの球をジャグリングしている)
- People who read e-books are saving trees and, **at the same time**, saving money.
  (eブック(電子書籍)を読む人々は, 樹木を守り, 同時にお金を節約しているのです)

♣ 文字どおりの「同じ時間に」の意味でも使う。
Let's meet at the same time on Sunday, May 21.
(5月21日の日曜日, 同じ時間に会いましょう)

243 at work

仕事で・勤務で(⇔ off work), 職場で, 〔機械が〕仕事[作動]中で

- I'm *so* busy **at work** *that* I have no time to *take a day off*.
  (仕事があまりに忙しくて, 1日休む暇さえない) ➲(304), (400)
- I'll *drop* you *off* **at work**.(職場で(車から)降ろしてあげるよ) ➲(331)
- The mechanic is **at work** in the garage.(その修理工は車庫で仕事中です)

244 by hand

〔機械ではなく〕手で

- The tunnel appears to have been dug **by hand**.
  (そのトンネルは手で掘られたようだ)

♣ この hand は「手段」を表すので冠詞をつけない。実際に「手で…をした」などというときは with one's hand(s) のようになる。

前置詞句・副詞句③

245 by mistake
間違って(⇔ on purpose (484))

- I must have given him the wrong address **by mistake**.
  (間違って彼に違うアドレスを渡したに違いありません)

246 (all) by oneself
一人で(= alone), 独力で

- Are you going to there **all by yourself**?
  (あなたはそこへ一人で行くつもりですか)
- Can you do it **by yourself**?(それを一人でできる?)
- The bleeding stopped **by itself**.(出血はひとりでに止まった)

♣ for oneself も同じ意味。ただし, ほかに「~自身のために」という意味でも使う。
⇒ (all) on one's own (273)

247 by the way
ところで(= incidentally)

- **By the way**, did you hear about the merger of our company?
  (ところで, わが社の合併について聞いた?)

♣ 話題を変えるときに使う。くだけた言い方なので, ビジネスレターでは incidentally を使う。

248 day after day
来る日も来る日も

- Eating only the same foods **day after day** will cause poor health.
  (毎日毎日同じ食べ物だけを食べるのは健康によくない)

♣ day in, day out「明けても暮れても」も同じような意味(カンマを入れる)。

249 ever since
その後ずっと, ~以来ずっと

- I met her in London and we've *been in touch* **ever since**.
  (ロンドンで彼女と出会って以来ずっと連絡を取り合っている) ➲(210)
- **Ever since** the accident, she's been *too* afraid *to* drive.
  (その事故以来, 彼女は怖くて運転ができない) ➲(521)
- He's been writing for the Evening News **ever since** he left college.
  (彼は大学を出てからずっとイブニング・ニュースのライターをしている)

♣ 副詞として, また後に名詞・節を続けて前置詞・接続詞として使う。

250 except for
(~を)除いて

- Gambling on college sports is against the law in every state **except for** Nevada.
  (ネバダ州を除くすべての州で，大学のスポーツで賭けをすることは法に反する)

♣ except の 1 語も同じ意味。 ただし, except (that)「…ということを除いて」というように, あとに文を続けることができるのに対して, except for の後は名詞(句)のみ。
⇒ apart[aside] from (231)

251 first of all
なによりも, まず第一に

- **First of all**, let me say how happy I am to be here.
  (まず第一に，この場にいられることの喜びを述べさせてください)

252 for a minute[moment]
ちょっとの間

- May I interrupt you **for a minute**?
  (ちょっとお邪魔してもよろしいですか)

♣ ⇒ in a minute[moment](470), at the moment (241)

253 for sale
売り物の

- Is this house **for sale** or just *on display*?
  (この家は売りに出されているのですか，それとも展示されているだけですか) ➲(272)

♣ ⇒ put ~ up (141), on sale (274), for rent (463)

254 (just) in case
(~という)場合に備えて

- All right, I'll be here **just in case**.
  (分かった，もしもの場合に備えてここにいるから)
- **(Just) in case** I'*m late for* the meeting, could you tell me your cell phone number?
  (私が会合に遅れたときのために，あなたの携帯電話の番号を教えていただけませんか) ➲(212)

♣ 文末に用いると「もしもの場合に備えて」の意味。 上の 2 番目の例にように, 後に文を続けることも多い。
《米》で「もし~の場合には(= if)」の意味で使うこともあるが, TOEIC には出ていない。
⇒ in any event[case] (667)

前置詞句・副詞句④

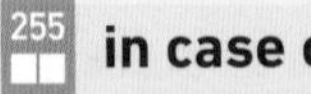

255 in case of
（事故などの）場合（には）

- **In case of** a fire, use the stairs, never the elevator.
（火災の場合，階段を使いなさい。決してエレベーターを使ってはいけません）

♣ in the case of は，具体的な事実について「～の場合について言えば」という意味。in that case は相手の言ったことを受けて，「その場合には…」というときに使う。

256 in detail
詳細に

- I would like to hear **in detail** what you are planning.
（あなたが計画していることについて詳細を伺いたいと思います）

257 in front (of)
（～の）前に，（～の）正面に

- Always *pay attention to* the car **in front**.
（常に前の車に注意を払いなさい） ➲(194)
- The man you asked about is sitting **in front of** the reception counter.
（あなたがおたずねの男性は受付カウンターの前に座っています）
- Please stop **in front of** that building.
（その建物の正面に止まってください）

♣ in[at] the front of は「～の前部に」。

258 in full
全部，全額

- The entrance fee must be paid **in full** *prior to* evening course registration.
（入学金はイブニング・コースの登録の前に全額支払われなければなりません） ➲(89)

259 in general
一般に（= generally），
《名詞の後で》一般［全体］の

- **In general**, productivity *tends to* rise when the economy is booming.
（一般的に，経済が活況を呈しているときには生産性は上がる傾向がある） ➲(593)
- The world economy **in general** *is likely to* see low growth in the years ahead.
（世界経済は全体としてこの先数年は低成長になるようだ） ➲(213)

260 in particular

特に (= especially)

- Is there anything **in particular** I should *pay attention to*?
  (特に注意すべきことはありますか) ➲(194)

261 in order

順番に, 順調で

- I'll answer your questions **in order**.(質問には順に答えます)
- Everything seems to be **in order**.(すべてが順調のようだ)

♣ put[set] A in order は「〈A〉を整とんする・修理する」の意味。
⇒ in order to do (79)

262 in person

(直接)自分で, 自ら (= personally)

- I need to tell you something **in person**.
  (君と直接話す必要がある)

♣ 電話やメール, あるいは代理人などではなく「本人が」という意味。

263 in spite of

(~にも)かかわらず (= despite)

- The company's net income rose **in spite of** the price increase of their raw materials.
  (原材料の値上げにもかかわらず, 会社の純利益は増加した)

♣ in spite of the fact that「…という事実にもかかわらず」という形でよく使われる。

264 in the end

最後には, 結局は (= finally)

- I'm going to be a winner **in the end**.(最後には私が勝つ)
- **In the end**, you have to find your own way.
  (結局, 君は自分自身のやり方を見つけなくてはいけない)

♣ ⇒ at (long) last (235)

前置詞句・副詞句⑤

265 in the future

将来, 未来に

- If there is anything we can do for you now, or **in the future**, please *let us know*.
  (今でも, また, これからでもお役に立つことがあればどうぞお知らせください) ➲(5)

♣ ⇒ in the near future (885)

266 in the middle of

(～の)最中に[で], (～の)中央に

- I'm just **in the middle of** a business meeting.
  (私は会議の真っ最中なんだ)
- There's a flowerpot **in the middle of** the room.
  (その部屋の中央には植木鉢がある)

♣ 時間・空間の「中ごろに」という意味。対立する2者の間で「板ばさみになって」の意味もある。in the center of は「(円状の空間の)中心部に」。

267 in time

(～に・～するのに)間に合って(for, to do), そのうち[最終的に]

- He'll be back **in time** for the party.
  (彼はパーティーに間に合うように戻るでしょう)
- I hope you *come back* **in time** to see the cherry blossoms.
  (あなたが桜の花見に間に合うように戻ってきてくれるといいと思います) ➲(109)
- He will learn the correct procedure **in time**.
  (そのうち正しい手順を覚えるでしょう)

♣ ⇒ in no time (671)

268 later on

あとで(= afterward) (⇔ earlier on)

- I will be in my office **later on** if you'd like to talk *in private*.
  (内密に話したいのでしたら, 私はあとで自分の事務所にいますから) ➲(877)

♣ later は「ある時点よりあとの時点(で)」, later on は「継続している中の, もっと先で」という意味。

269 no later than

(遅くとも～)までに

- I'll be back **no later than** 10 o'clock.
  (遅くとも 10 時までには戻ります)
- Applications should be postmarked **no later than** February 4.
  (願書は 2 月 4 日の消印まで有効です)

♣ not later thanとも言う。「no+比較級+than」についてはno more than A (511) 参照。

270 of one's own

自分自身の

- When we move into the new house, I'm going to have a room **of my own**. (新しい家に引っ越したら, 自分の部屋を持つつもりだ)

♣ 名詞の後に置く(A of one's own の形)。one's own A とほぼ同義になるが, こちらは「所有する A」という意味合いが強い。

271 on behalf of　(～を)代表して, (～に)代わって

- **On behalf of** everyone here, I would like to thank you for your dedication over the past five years.
  (ここにいる皆を代表して, 過去 5 年間にわたるあなたの献身に対してお礼を述べたいと思います)
- I am writing **on behalf of** Mr. Thompson, who is on a business trip right now.
  (ただ今出張中のトンプソン氏に代わりましてお手紙を差し上げます)

♣《フォーマル》な手紙やスピーチなどでよく使う。on one's behalf とも言う。

272 on display　展示[陳列]されて

- We noticed your product **on display** at the Houston Trade Fair and would like to receive more information about it.
  (ヒューストントレードフェアで展示されていた御社の製品を目にしまして, もっと情報がいただきたいのですが)

♣ put A on display で「A を展示する」。

273 (all) on one's own　自分 1 人で(= alone), 独力で

- I just have to *work* things *out* **on my own**.
  (自分自身で解決するしかない)　➲(184)
- Why don't you try living **on your own**?(1 人で暮らしたらどう?)

♣ (all) by oneself (246) と同義。TOEIC では on one's own のほうが少し多い。

274 on sale　特価販売の[で], 《be[go] ... で》発売中[発売される]

- I found a $790 dining table **on sale** for $500.
  (790 ドルのダイニングテーブルが特売で 500 ドルになっているのを見つけた)
- The game software will **go on sale** in Japan on August 20.
  (そのゲームソフトは日本では 8 月 20 日に発売される)

♣ ⇒ for sale (253)

前置詞句・副詞句⑥

275	(be) **out of order**	故障している, 乱雑になっている

- I'm sorry, but the elevator **is out of order**.
  （申し訳ありませんが，エレベーターは故障中です）

276	**once again[more]**	もう一度

- We'd like to thank you and hope to see you **once again**.
  （感謝いたしますとともに，またお会いできることを願っています）

277	**so far**	今までのところは

- Two weeks have passed since I sent you the order, but **so far** I haven't received it.
  （注文して 2 週間たちますが，今のところそれを受け取っていません）

♣ until now, up to now も同じ意味。 ⇒ up to (90), from now on (467)

278	**to** be **honest**	率直に言うと, 実は

- **To be honest**, it's a little expensive to rent.
  （正直言って，レンタル料がちょっと高いです）

279	**to start[begin] with**	まず第一に, 最初は

- **To begin with**, I'm going to explain our sales policy.
  （まず第一に，わが社の販売方針をご説明します）
- How much money do I need **to start with**?
  （最初はどのくらいのお金が必要でしょうか）

♣ to begin with のほうが《フォーマル》。 ⇒ start[begin] (A) with B (176)

280	**up to date**	最新の, 最新式の

- Let me bring you **up to date** on our progress.
  （われわれの最新の進ちょく状況をお知らせいたします）

♣ bring[keep] A up to date「〈人〉に最新情報を伝える,〈情報・機器など〉を最新の状態にする」の形で使う。 名詞の前に置くときは up-to-date とする。 反対は out of date「(情報が) 古い, 旧式の」。

名詞句・形容詞句

281 **a wide[broad] range of** 幅広い［広範囲な］～

- We can show you **a wide range of** office furniture.
（私どもでは幅広い［さまざまな］オフィス家具をご覧いただけます）

♣ range は「幅，範囲」の意味。ほかに，a full[whole] range of「全範囲の～」もよく使う。動詞としては，range from A to B「（程度・範囲などが）A から B まで及ぶ」のように使う。

282 **a couple of** いくつかの（= a few），2つ［2人］の

- Could you give me **a couple of** minutes?
（数分，時間をいただけますか）
- A **couple of** thieves *broke into* my next-door neighbor's house.
（2人組の泥棒が隣の人の家に侵入した） ➲(317)

♣ 話すときには，a couple days のように of を省略することが多い。

283 **a load[loads] of** たくさんの～，有り余るほどの～

- A truck brought **a load of** freight to the warehouse.
（トラックが倉庫に大量の貨物を運んできた）

♣ a load to do は「～すべきたくさんのこと」。
I've got loads to do this weekend.（週末はやることがいっぱいある）
load には「（洗濯物などの）1 回分」の意味があり，TOEIC ではこの意味で出る。
a load of wash（洗濯物の 1 回分）

284 **(have) no idea** （～については）まったく知らない・分からない (of, wh-, that)（= not know at all）

- I **have no idea** what he is talking about.
（彼が何を話しているのかまったく分からない）

♣ あとに wh- や that の文を続けることが多い。not have the slightest idea のようにも言う。

285 **quite a few** かなりの（数の）

- **Quite a few** Americans are against stricter gun-control laws.
（かなり多数のアメリカ人が，より厳しい銃規制法には反対している）

♣「少ない」という意味の語に quite をつけて反語的に多いことを表す用法。ただし，quite a lot (of) も「かなりの（数・量）」の意味で使う。

286 quite a bit (of) — かなりの(程度・量の)

- That was **quite a bit** more than we expected.
  (それは私たちが予想していたよりもかなり多かった)
- There's **quite a bit of** work that has to be done.
  (やらなければならないことがたくさんある)

♣「少ない」の反語的用法。「量・程度」に使う。　⇒ a (little) bit (68), a bit of (93)

287 the heart of — (場所の)中心部, (問題などの)核心

- The hotel *is located in* **the heart of** the city, only 30 minutes from the airport.
  (そのホテルは空港からわずか 30 分の, 市の中心部に位置している)　➲(64)
- Planning and management is **the heart of** the project.
  (企画立案と管理はプロジェクトの核心です)

288 environmentally friendly — 環境に優しい, 環境に配慮した

- The company introduced a new line of **environmentally friendly** carpet.
  (その会社は環境に優しいカーペットの新商品を発表した)

その他（接続表現・会話表現等）①

289 **all the best**	ご幸運［ご多幸］を（お祈りいたします）

- I wish you **all the best**.（ご多幸をお祈りいたします）

♣ メールの末尾などに使うあいさつ表現。

290 **as[so] long as**	（～である）**間は**〔期間〕（= while）， （～である）**限りは**〔条件〕

- Please stay **as long as** you like.
（好きなだけいてください）
- **As long as** it's not me, whoever they choose is fine.
（私でさえなければ彼らが誰を選ぼうと結構です）

♣ あとに，長さや期間を表す語句がきて「～と同じくらい長い」→「～もの（長さ・期間）」の意味になる。
as long as for ten years（10 年もの間）
「（～である）限りは」は「条件を満たしていれば（ずっと）」ということ。

291 **as[so] far as**	（場所・距離）**まで**（遠く），（～である）**限りは**〔条件〕

- The plane can fly **as far as** 6,000 miles without refueling.
（その飛行機は燃料補給なしで 6000 マイルまで飛行できる）
- **As far as** I know, James is not involved in this research.
（私の知る限り，ジェームズはこの研究には携わっていないよ）

♣「条件の範囲内であれば」という意味。
⇒ **as ... as possible** (98), **as far as A is concerned** (641)

292 **can afford to** do	〔金銭・時間・心などに〕（～する）**余裕がある**

- I **can't afford to** spend $20,000 on a new network system.
（新しいネットワーク・システムに 2 万ドルを費やす余裕はない）

♣ 疑問文・否定文で使うことが多い。

293 **either** A **or** B	〈A〉**か**〈B〉**かいずれか**

- I'm free **either** this Wednesday **or** Friday in the early afternoon.
（今週の水曜日か金曜日の昼過ぎなら空いています）
- Please return it to me **either** by email **or** in person.
（E メールか，または直接私に返却してください）

♣ A, B は語・句・節で，同等のものが入る。 ⇒ **neither A nor B** (509)

294  **feel free to** do　遠慮せずに(~する)

- If you have any questions, please **feel free to** call me anytime.
  (何か質問がありましたら，いつでも遠慮せずに電話してください)

♣ 相手に対して「どうぞ」と勧める言い方。「(please) +命令文」の形が多い。

295  **Guess what!**　何だと思う!

- Guess what! We had record sales for the event!
  (何だと思う！ このイベントの売り上げは過去最高だったよ！)

♣ 驚きやよい知らせなどを伝えるときに前置きとして使う。「人」について言うときは Guess who!「誰だと思う」とする。

296  **help yourself to**　(~を)自由に取って食べる[飲む，使う]

- Please **help yourself to** the hors d'oeuvres and the drinks.
  (オードブルと飲み物を，どうぞご自由に召しあがってください)

♣ 相手に物を勧める表現。 命令文の形で使う。

297  **How's it [How are things] going?**　〔相手の近況を尋ねて〕どうしてる?，最近どう?

- Hi, Margaret. **How's it going**?
  (やあ，マーガレット。調子はどう?)
- Hi, Helen. **How are things going** in your new position?
  (やあ，ヘレン。 新しいポジションでの仕事は順調?)

♣ it は個人的な近況を，things は仕事や職場の状況などを含めてたずねる意味合い。

298  **if not**　もしそうでなければ，《if not A で》〈A〉とは言わないまでも

- I should be home, but **if not**, leave me a message.
  (家にいるはずですが，もしいなかったら伝言を残しておいてください)
- It will be difficult, **if not** impossible, to fix it today.
  (今日中にそれを修理するのは不可能とは言わないですが，困難です)

♣ if not (A) は文中で挿入的に使うことが多い。A は名詞(句)，形容詞(句)。

その他（接続表現・会話表現等）②

299 if only
たとえ～だけだとしても，（～で）ありさえすれば〔願望〕

- It would definitely be good for Japan's economy, **if only** in the short-term.
  （たとえ短期のことだけだとしても，それは確かに日本の経済にはいいでしょうね）
- **If only** we had the budget.（予算があればなあ）

♣ 2 番目の意味では，あとに仮定法を続けるのがふつう。only if は「（もし）～である場合に限り」。
Please enter only if you are over 18.（あなたが 18 歳以上の場合にのみお入りください）

300 not only A but (also) B
〈A〉だけでなく〈B〉も

- A life spent making mistakes is **not only** more honorable **but** more useful than a life spent doing nothing. — George Bernard Shaw
  （間違いをしながらの人生は，何もせずに過ごす人生よりも立派なだけでなく有益でもある — ジョージ・バーナード・ショー）

♣ also は省略されることが多い。A as well as B (100) と同義だが，A と B が逆になる (not only B but (also) A)。

301 not really
いいえ，それほどではありません

- Do you play golf? — **Not really**.（ゴルフはする？— いや，それほどでも）
- Does it hurt much? — No, **not really**.
  （ひどく痛みますか — いえ，それほどではありません）

♣ 文中での not really は「あまり…でない」。
The weather was not really good, but not bad either.
（天気はあまりよくはないが悪くもない）

302 or so
（～か）それくらい（の）

- How many people are coming? — Oh, about a dozen **or so**.
  （何人くらい来るんですか — 十数人くらいかな）

♣ 数量や時間表現に続ける。

303 A rather than B
〈B〉よりも〈A〉

- The book *is aimed at* learners of English **rather than** native speakers.
  （本書はネイティブ・スピーカーではなく，英語学習者を対象としています） ➲ (522)

♣ A, B は語・句・節で，同等のものが入る。rather A than B の形もある。

304 **so ... (that)**　とても…なので

- This printer is **so** compact **that** you can carry it in your briefcase.
（このプリンターはとてもコンパクトなのでブリーフケースに入れて持ち運べます）

♣ so (that) A can[will, may] do (104) との違いに注意。so の後には形容詞または副詞が入る。that は省略することが多い。　⇒ such ... (that) (519)

305 **whether** A **or** B　〈A〉か〈B〉か, 〈A〉でも〈B〉でも

- Do you know **whether** he's at home **or** at the office?
（彼が家にいるか，それともオフィスにいるかご存じですか）
- Travelpal is the perfect choice for travelers **whether** they are traveling on business **or** for pleasure.
（トラベルパルはビジネスであれ観光であれ旅行者には最適な選択です）

♣ whether A or not で「〈A〉かどうか, 〈A〉であろうとなかろうと」の意味。or not を前に置いて whether or not A とすることもある。
Do you know whether the manager is in or not?
（部長が社内にいるかどうか知っている?）

306 **What do you say ...?**　〔提案などに同意を求めて〕どうでしょうか

- **What do you say** to going to the movies?
（映画を観に行くのはどうですか）
- **What do you say** we go look at the new model cars that just *came in*?
（つい最近発売された新型車を見に行かない?）　➲(1)

♣ くだけた言い方。 あとに to A[doing] や we do を続けることが多い。How[What] about A? (101) もこの意味で使える。

307 **What ... do with** A?　〈A〉をどのように処理するのか

- **What** should we **do with** this old equipment?
（この古い装置はどうしたらよいだろう）
- **What** did you **do with** the invoices?— I gave them to Cindy.
（請求書はどうしました?— シンディに渡しました）

♣ do B with A「〈A〉について〈B〉のように処理する」の〈B〉をたずねる形。TOEIC の問題文によく出る。

308 What's up?

元気かい?, (…に)何かあったの?(with)

- Hey! **What's up**?
  (やあ, 元気かい?)
- Can I talk to you for a minute?—Sure. **What's up**?
  (ちょっと話せる?—いいよ。どうしたの?)
- **What's up** with Larry today?
  (今日ラリーはどうしたの?)

♣ くだけた言い方。 親しい間柄で使う。

309 Why not?

〔否定文を受けて〕**どうして**(…でないの), 〔承諾・賛同を表して〕**もちろん**(いいよ), 〔提案をして〕**〜したら**(どうですか)

- I don't want to go. — **Why not**?
  (行きたくないな—どうして?)
- Do you want to come along? — Yeah, **why not**?
  (一緒に来るかい?—ええ, もちろん)
- **Why not** relax and enjoy yourself?
  (リラックスして楽しんだらどうですか)

♣「提案」は Why don't you [we, I] ...? (107) と同義。

310 would rather do (than do)

(〜するより)**むしろ〜したい**

- I'**d rather** stay home tonight.
  (今夜は(どちらかというと)家にいたい)
- I **would rather** die **than** *live a life* without meaning.
  (意味もなく生きるくらいなら, 死んだほうがましだ) ➲(817)

♣ 助動詞 would の後なので, 原形の動詞を使うことに注意。

TOEIC テスト　頻出連語③

★は最頻出連語 TOP 50

■商品

household goods[items]　（家庭用品，家財道具）
consumer goods　（消費財）
gift certificate　（商品券）
business suit　（背広）
wear and tear　（〔通常の使用による〕摩耗）

■料金

special offer　（特別提供価格，特価）
service charge　（販売手数料，サービス料）
additional[extra] charge[fee]　（割増料金，追加料金）
late charge[fee]　（延滞金，遅延損害金）
shipping charge[cost]　（送料，輸送費）
delivery charge[cost]　（配達料，送料）
handling charge[cost]　（取扱[発送]手数料）
shipping and handling　（送料および手数料）
admission fee　（入場料）
registration fee　（登録料）
hotel charges　（宿賃，宿泊料）
flat rate　（均一料金[運賃]）
special rate　（特別料金[運賃]）

■顧客・サービス

regular[repeat, frequent] customer　（常連客[リピート客]）
customer service★　（顧客サービス）
customer service representative★　（お客さま相談窓口）
account representative　（顧客担当者）
after-sales service[support]　（アフターサービス）
room service　（ルームサービス）

PART 3

(311-521)

TOEIC テスト 600 点レベル頻出熟語

動詞句

その他の品詞句

動詞句①

311	**account for**	(～の)割合を占める,(事が)～の原因となる,(理由・原因を)説明をする

- Plastic containers **account for** nearly 60% of the volume of municipal waste.
  (プラスチック容器は,自治体のゴミの量の60%近くを占める)
- Increased demand **accounted for** the increased price.
  (需要の高まりが価格上昇の原因となった)
- You now have to **account for** this to the sales tax authorities.
  (あなたは売上税当局に今これを説明しなくてはなりません)

♣ account は「取引勘定,預金口座」の意味でよく使われる。
⇒ take A into account[consideration] (805), on account of (690), take account of (824)

312	**add to**	(～を)増やす・(～が)増す(= increase)

- This new tax will **add to** the problems of companies that already have financial difficulties.
  (この新税はすでに財政困難にある会社の問題を増大させるだろう)

♣ add A to B「A を B に加える」の受け身形 be added to と意味を取り違えないように注意。add up to で「(合計)～になる」。

313	**advise** A **to** do	〈人〉に(～するよう)勧める・忠告する

- I would **advise** you **to** be at the airport at least one hour before departure time.
  (少なくとも出発時刻の1時間前には空港においでになるよう,お勧めいたします)

♣《フォーマル》な注意・勧告などの文で使う。advise that「…することを勧める」の形もある。このとき that 節の中の動詞は原形。

314	**appeal to**	(～に…を)求める[訴える](for),〈人(の心)に〉訴える

- The country **appealed to** the UN for help.
  (その国は国際連合に援助を求めた)
- The advertisement *is intended to* **appeal to** the younger generation.
  (その広告はより若い世代に訴えることを意図している) ➡(66)

315 □□ **attempt to** do | (～しようと)**企てる**

- The man **attempted to** fly around the world in a balloon.
  (その人は気球に乗って世界一周をしようと企てた)

♣ 名詞も an attempt to do「～する企て[試み]」の形でよく使う。
in an attempt to do は「～しようとして」。

316 □□ **benefit from[by]** | (～によって)**利益[助け]を得る**

- You'll surely **benefit from** this special tutorial on the Internet.
  (インターネット上のこの特別個別指導がきっとお役に立つでしょう)

♣ 広い意味での「利益」を言う(金銭的な利益に限らない)。

317 □□ **break into** | **急に(～)し出す**

- She **broke into** tears when he told her goodbye.
  (彼女は彼がさよならを告げると急に泣き出した)

♣「(～に)押し入る」が基本の意味。break into pieces は「(粉々に)壊れる」。

318 □□ **call on** | (人を)**訪問する**(= visit)

- Please **call on** me when you arrive in Tokyo.
  (東京に着いたら私を訪ねてください)

♣ drop in (330) のほうがくだけた言い方。

319 □□ **care for** | (～の)**世話をする**(= take care (of) (198), look after (134)),《疑問文・否定文で》(～を)**好む[望む]**

- The governor has *resigned* to **care for** his wife at home.
  (その知事は家で妻の世話をするために辞職した) ➲(790)
- Would you **care for** some more coffee?
  (もう少しコーヒーをいかがですか)

♣ Would you care to do? は「～していただけませんか」というていねいな依頼表現。

320 □□ **catch up** | (～に)**追いつく**(with, to)(= overtake),(～の遅れ[不足]を)**取り戻す**(on)

- You *go on* and I'll **catch up** with you later.
  (先に行ってて，あとで追いつくから) ➲(125)
- He reads the newspaper on Sundays to **catch up** on the news.
  (彼は日曜日に新聞を読んでニュースの遅れを取り戻している)

♣ ⇒ keep up with (564)

動詞句②

321	**come along**	〔人・機会・新製品などが〕(前ぶれなしに)やって来る[現れる]

- An opportunity like this only **comes along** once in a lifetime!
  (こんなチャンスは一生に一度しかない!)

♣「(~と)一緒に来る[行く]」が基本の意味。この意味で使われることも多い。

322	**come down**	(価格などが)(~まで)下がる(to), (人が)(~まで値下げに)応じる(to)

- Crude oil prices have **come down** sharply in the past two months.
  (原油価格はこの2カ月間で急激に下がった)
- If you **come down** to $15,000, we will *place an order*.
  (1万5000ドルまでの値下げに応じてくれるなら注文します) ➲(47)

♣「(高い所から)降りる」が基本の意味。「階下へ降りる」などの意味でよく使う。

323	**come over**	やって来る

- Could you **come over** right now?
  (すぐに来られますか)

♣「越えて来る」が基本の意味。「海を越えて来る」という意味もある。
⇒ go over (127)

324	**come on**	《Come on! で》さあ行こう[やろう], (~へ)来なさい[行きなさい](in, back, etc.)

- **Come on**! Tell me!(さあ! 私に話して!)
- Hello, Jane. *Welcome to* our house. **Come on** in.
  (こんにちは,ジェーン。私の家へようこそ。さあ入って) ➲(222)

♣「(照明・機械に)スイッチが入る〔点灯する・作動する〕」の意味もある。

325	**come up**	(~へ)近づく[やって来る](to), (問題などが)生じる

- Will you **come up** here, please?
  (こちらへ来てくれますか)
- Something has **come up**, so please *go ahead* (of me).
  (ちょっと問題が起きたので,先に行ってくれる?) ➲(121)

♣ ⇒ come up with (539)

326 **concentrate on** (~に) 専念する [集中する]

- We need to **concentrate on** our most productive markets.
  (私たちは最も生産的な市場に集中する必要がある)

♣ concentrate one's effort[attention] on A「~の努力[注意]を A に集中する」もある。focus (A) on B (28) も同義。

327 **contribute to** (~に) 貢献する, (~の) 一因となる

- Mr. Tanaka **contributed to** his company's development by obtaining a patent.
  (田中氏は特許を取ることで会社の発展に貢献した)
- Being overweight can **contribute to** high blood pressure.
  (太りすぎは高血圧の一因となりうる)

♣ contribute A to B で「〈資金・援助〉などを〈組織・事業など〉に与える[寄付する]」の意味。

328 **cut down on** (飲食・仕事などの量を) 減らす (= reduce)

- You have to **cut down on** your intake of sugar.
  (砂糖の摂取量を減らさなければいけませんよ)

♣「切り倒す」が基本の意味。「短くする」の意味もある。

329 **decide on** (~を) 決める [決定する]

- Have you **decided on** your order?
  (ご注文はお決まりですか)

♣「いくつかの物の中から選んで決める」という意味。decide to do「~しようと決心する」や decide wh- の形で使うことも多い。
Have you decided which courses to take? (どのコースにするかお決まりですか)

330 **drop in** (~を) 訪ねる [立ち寄る] (on, at) (= call on (318))

- Why don't we **drop in** on Shoji?
  (ショウジの所にちょっと寄ってみない?)

♣「アポイントなしでちょっと立ち寄る」という意味。drop in on 〈人〉, drop in at 〈場所〉とする。drop by も同じ意味で, こちらは drop by 〈場所〉とする。
Can you drop by my office? (私のオフィスに寄ってくれますか)

⇒ **stop by** (39)

動詞句 ③

 331 **drop off**	《drop ~ off で》〔車などから〕(~を)**降ろす**, (程度・数量が)**下がる**(= fall)

- Could you **drop** me **off** at the Hilton Hotel?
  (ヒルトンホテルで降ろしてくださいますか)
- The California Pacific Ocean floor **drops off** dramatically within *a couple of* miles of the shoreline. ➲(282)
  (カリフォルニアの太平洋海底は海岸線から数マイルの所で劇的に落ちこんでいる)

♣ drop off to sleep で「眠り始める, うとうとする」。

332 **fail to** do	(~)**できない**, (~)**しそこなう**

- Both sides have repeatedly tried, but **failed to** *carry out* the agreement.
  (両者とも何度も努力はしたが, その契約を実行することはできなかった) ➲(536)
- You **never fail to** annoy me!(君は必ず私をいらいらさせるね!)

♣ 否定文では「必ず~する」の意味になる。

333 **figure ~ out**	(答え・解決策などを)**見つけ出す**, (~を)**理解する**(= understand)

- We've got to **figure out** what to do before the next audit.
  (次の会計検査の前に何をすべきかを見つけ出さなくてはならない)
- You have to **figure out** the meaning of life *on your own*.
  (人生の意味は自分で理解しなければならない) ➲(273)

♣ あとに wh- の文を続けることが多い。work ~ out (184) も同義。

 334 **fit ~ in**	(人・事に)**時間を割く・作る**

- The doctor can **fit** you **in** at 4:00.
  (先生は 4 時なら時間がとれます[診察できます])
- Someone has to visit the customer's office. Can you **fit** it **in**?
  (誰か顧客のオフィスを訪問しなければならないんだ。時間を割ける?)

♣ fit in[into] A は「〔物が〕〈場所・容器など〉に収まる」。fit A in[into] B は「〈物〉を〈場所・容器など〉に収める」。
The camera fits in[into] my pocket.(そのカメラはポケットに収まる)

 335 **get back to**	(人へ)**あとで電話をする[手紙を書く]**, (仕事・話題などに)**戻る**

- I will **get back to** you *as soon as I can*.
  (あとでできるだけ早く電話するよ) ➲(99)

- I have to **get back to** work, so I'll call you again later.
  （仕事に戻らなければならないから，あとでまた電話するよ）

♣ ⇒ get back (112)

336 get into

（～に）**入る**，（車などに）**乗り込む**，（議論などを）**始める**

- **get into** college（大学に入る[入学する]）
- **get into** a taxi（タクシーに乗り込む）
- I'*m* not *ready to* **get into** this discussion right now.
  （私は今（まだ）この議論を始める準備ができていない） ➲(56)

♣ ⇒ get in (114)

337 get lost

道に迷う

- I tried to *get to* the hospital but **got lost** *on the way*.
  （私は病院に行こうとしたが，途中で道に迷った） ➲(4), (487)
- I **got lost** trying to find the restaurant.
  （私はレストランを見つけようとしていて道に迷った）

338 get over

（病気から）**回復する**，（悲しみ・ショックなどから）**立ち直る**（= recover from）

- It took me over a month to **get over** this cold.
  （この風邪を治すのに１カ月かかった）
- She's finally **getting over** her breakup with Joe.
  （彼女はジョーとけんか別れした痛手からようやく立ち直りつつある）

339 get rid of

（不要なもの・不快なものを）**取り除く・捨てる**

- Do you know how I can **get rid of** this stain on the carpet?
  （カーペットについたこのシミを取る方法をご存じですか）
- I can't **get rid of** this cold.（この風邪がどうしても抜けない）

340 go for

（～に）**行く**，（～を）**取りに[呼びに]行く**，《could[would] ... で》（～を）**好む[選ぶ]**

- **go for** a walk[a drink]（散歩[飲み]に行く）
- You must **go for** help.（助けを呼びに行きなさい）
- I could **go for** a nice cup of hot coffee.
  （私はおいしいホットコーヒーを１杯飲みたいな）

♣「～の方向へ向かう」が基本の意味。Go for it. で「積極的に向かって行け，やってみろ」とはげますときの言葉。

動詞句 ④

341 go into
(～に)入る, (説明・詳細に)入る

- She **went into** her son's room to *see if* he was awake.
(彼女は息子が目を覚ましているかどうか見に彼の部屋に入った) ➡(518)
- I will **go into** the details later. (詳細はあとで触れます)

♣ 比喩的な意味では, ほかに go into business「商売[事業]を始める」, go into the red「赤字になる」, go [come] into effect (390) などがある。

342 go through
(注意深く)通して読む[やる], (つらいことなどを)経験する, (法案・交渉などが)通る・成立する

- We have to **go through** the thousands of pages of documents.
(私たちは何千ページもの書類に目を通さなくてはならない)
- I don't want to **go through** that experience again.
(あんな経験をするのは二度とごめんだ)
- I'm quite sure the deal will **go through**.
(私はその取引は必ずまとまると思う)

♣ 基本の意味は「通り抜ける」。go through with で「～をやり通す」。
⇒ get through (755)

343 go with
(～と)調和する(= match), (～に)付属する[伴う]

- That striped shirt **goes** well **with** the gray pants.
(その縞模様のシャツはグレーのパンツとよく合いますよ)
- Responsibility **goes with** freedom. (自由には責任が伴う)

♣ 基本の意味「～と一緒に行く」で使われることのほうが多い。「調和する」の意味では well や poorly を伴うことが多い。

344 graduate from
(～を)卒業する

- I have just **graduated from** the Business Institute and I'*m ready to* start working.
(私はビジネス学校を卒業したばかりで, いつでも仕事を始められます) ➡(56)

345 help A out
〈人〉を手伝う・援助する

- I'd like to **help** you **out**, but unfortunately I will be very busy next month.
(お手伝いしたいのですが, 残念なことに来月はとても忙しくなるのです)

346 help A with B　〈人〉の〈仕事など〉を手伝う

- Do you want me to **help** you **with** those bags?
（そのバッグを運ぶのを手伝おうか）

♣ help A (to) doで「〈人〉が~するのを手伝う」(toはふつう省略する)。give[lend] A a hand (391) も同じような意味。

347 hold up　《hold ~ upで》(~を)遅らせる(= delay), (よい状態を)維持する

- A big accident **held up** traffic for several hours.
（大事故で交通が数時間渋滞した）
- I hope this good weather **holds up** over the weekend.
（週末の間このよい天気が続くことを願う）

♣「持ち上げる, 支える」が基本の意味。この意味で使われることも多い。「金品を奪う(= rob)」の意味もあるが, これは, 強盗がHold up!「手を挙げろ!」と言うことから。
He held up two banks in one day.（彼は1日に2つの銀行を襲った）

348 keep (A) from doing　〈A〉が(~するのを)妨げる・(~を)させない

- She could hardly **keep from** laughing.
（彼女は笑いをこらえるのがやっとだった）
- The government is trying to **keep** the yen **from** getting too weak.
（政府は円安が進みすぎないようにしている）

♣ 同じ意味で, prevent A (from) doing「Aが~するのを防ぐ」がある。「~させる・~させておく」はkeep A doing (133)。

349 keep[bear] A in mind　〈A〉を覚えておく・心に留めておく(= remember)

- Thanks. I will definitely **keep** your advice **in mind**.
（ありがとう。君の忠告はしっかりと覚えておくよ）

♣〈A〉を文にして, keep[bear] in mind thatとすることもできる。
Bear in mind that this is the typhoon season.
（今は台風シーズンだってことを心に留めておきなさい）
have A in mindは「〈A〉を考えて[計画して]いる」
What do you have in mind?（何を考えて[計画して]いるの?）

350 lay ~ off　(~を)一時解雇する

- DM Motor **laid off** 2,700 workers as part of its restructuring program.
（DMモーターはリストラ計画の一部として2700人の従業員を一時解雇した）

動詞句⑤

351 
lead to
〔道などが〕(～へ)**通じる**, (結果などを)**もたらす**(= cause)

- Over the river was a bridge **leading to** the castle.
  (川には, 城へと通じる橋がかかっていた)
- The new engines will **lead to** savings in fuel.
  (新型エンジンは燃料の節約になるでしょう)

♣ 1番目の例文は A bridge was over the river.... が倒置されたもの。lead A to B で「〈A〉を〈B〉へ導く」。

352 
lean (A) on[against]
(～に)**寄りかかる**, (～を…に)**立てかける**

- The man is **leaning on**[**against**] the fence.
  (その男性は塀に寄りかかっている)
- Don't **lean** a ladder **against** an unstable surface.
  (はしごを不安定な面に立てかけないこと)

♣ lean を forward, back, over などの方向を示す語と一緒に使うと,「(前に[後ろに, 覆うように])傾く[傾ける]」という動きを表す。
He leaned back on the couch, satisfied.(彼は満足げに長椅子にもたれかかった)

353
leave for
(～へ向けて)**出発する**

- I'll **leave for** the airport by 3:30 p.m.
  (空港へは午後3時30分までに出発するつもりだ)

♣ leave A for B は「〈人〉に〈物〉を残しておく」。

354 
line (~) up
一列に並ぶ・(～を)**一列に並べる**, (～を)**手配[準備]する**

- About 200 people **lined up** to buy tickets for the concerts.
  (約200名がそのコンサートのチケットを買うために並んだ)
- The glasses are **lined up** on the shelf.(コップが棚に並べられている)
- We have plenty of enjoyable new releases **lined up** for you this month.
  (今月はたくさんの楽しい新作がそろっています)

355
look around
振り返る, (～を)**見て回る[見物する]**, (～を)**探し回る**(for)

- She **looked around**.(彼女は振り返った)
- I enjoyed **looking around** the new shopping center.
  (私は新しいショッピングセンターを見て回って楽しんだ)

• It *is worth* **looking around** for the best auto insurance before you buy.
(購入する前にどれが一番いい自動車保険かを調べるのは価値あることです) ➲(224)

356 look into

(～を)調べる

• We are now **looking into** ways of reducing production costs.
(私たちは製造原価を削減する方法を研究しています)

• A commission to **look into** the cause of the accident has been *set up*.
(事故原因究明のために委員会が設けられた) ➲(11)

357 look ~ over

(～に)ざっと目を通す(= examine, check)

• Please **look over** our brochure and call us if you would like more information.
(私どものパンフレットをご一読いただき，さらに情報が必要でしたらお電話ください)

♣ ⇒ look through (566)

358 look ~ up

〔辞書などで〕(～を)調べる(in, on),
《(be) looking up で》(状況などが)よくなる

• He **looked up** the name of the flower on the Internet.
(彼はインターネットでその花の名前を調べた)

• The economy is **looking up**.(景気は好転している)

♣ 基本の「上を向く・見上げる」の意味でもよく使う。反対はlook down「下を向く・見下ろす」。 ⇒ look up to (567)

359 move on

(次の話題・作業などに)移る[進む] (to),
先に進む・(旅などを)続ける

• Perhaps *it's time* to **move on** to new topics.
(そろそろ新しい話題に移ろう) ➲(517)

• He will *stay in* Shanghai *for a while* before **moving on** to Hong Kong.
(彼は香港に行く前にしばらく上海に滞在するつもりだ) ➲(377), (434)

360 open (~) up

(新規に)開店する・(～を)開店させる,
(機会・可能性などが)開ける・(～を)開く

• A new ramen shop has **opened up** on our block.
(新しいラーメン店が私たちの地区に開店した)

• This program will **open up** *a wide range of* employment and career opportunities.
(このプログラムは幅広い就職とキャリアの機会を開くでしょう) ➲(281)

動詞句⑥

361 **participate in**

(～に)参加する(= take part in (199))

- How many people are going to **participate in** the Boston marathon this year?
(今年ボストンマラソンにはどのくらいの人が参加するのですか)

♣ take part in よりもかたい言い方。

362 **pass ~ on**

(～を・次の…へ)回す・伝える(to)

- If I get any news, I'll **pass** it **on**.(何か分かったらお伝えします)
- It's time for me to *step down* as chairman and **pass** the responsibility **on** to someone among you.
(私が議長の地位を退いて，ここにいる誰かにその責務を譲る時がきました) ➲(799)

♣「回す・伝える」ものは「情報・技術・財産・遺伝子・病気」など。

363 **pick ~ out**

(～を)選び出す(= choose, select),
(～を)見つけ出す

- Could you help me **pick out** a birthday present for my father?
(父への誕生日プレゼントを選ぶのを手伝っていただけますか)
- **Pick out** the essential ideas in this passage.
(この一節の要点を見つけ出しなさい)

♣ single out も同じ意味で使う。 ⇒ pick ~ up (33)

364 **plan on**

(～する)つもりである(doing)

- I am **planning on** starting my own business.
(私は自分自身の事業を始めるつもりだ)

♣ plan to do も同じ意味でよく使うが,「～する予定[計画]である」という意味合いが強い。

365 **point ~ out**

(～を…であると)指摘する(that) (= indicate)

- **point out** the positive[negative] side
(プラスの[マイナスの]面を指摘する)
- He **pointed out** that low inflation is *not necessarily* a good thing.
(彼は低インフレは必ずしも良いことではないと指摘した) ➲(477)

366 **prefer** A (**to** B) 〈A〉を(〈B〉より)**好む**

- I **prefer** planning tasks **to** doing tasks.
  (私は仕事を実行するより計画するほうが好きだ)
- I would **prefer** to quit the company **than** (to) say things that are not true.
  (私は真実でないことを言うくらいならむしろ会社をやめます)

♣ 〈A〉〈B〉が前置詞や不定詞で始まる場合は to の代わりに (rather) than を使う。上の例の 2 番目の to はふつう省略する。

367 **pull up** (車が)**止まる**[(車を)**止める**] (= stop), (椅子などを)**引き寄せて座る**

- A big, black limousine **pulled up** beside us.
  (1 台の大きな黒いリムジンが私たちのそばで止まった)
- **Pull up** a chair and relax for a while.
  (椅子を引いて座ってしばらくリラックスしてください)

♣「〈物〉を引き上げる」が基本の意味。「(情報などを)引き出す」の意味でも使う。

368 **put ~ aside** (物・金を)**蓄える** (= save), (仕事・考えなどを)**一次わきへ置く・棚上げする**

- **Put aside** ten dollars a month. (月に 10 ドル貯金しなさい)
- We need to **put** these problems **aside** for now and get the work done.
  (これらの問題をひとまず置いて，仕事を終わらせる必要がある) ▸ for now「とりあえず」

♣「〈物〉をわきに置く」が基本の意味。もちろんこの意味でよく使う。

369 **rely on**[**upon**] (~を)**信頼する** (= trust), (~に)**頼る・当てにする** (= depend on[upon] (156))

- You can **rely on** us to deliver *on time*.
  (時間どおりに配達いたしますのでご信頼ください) ➲(86)
- Most Asian exporters **rely on** the U.S. as their primary market.
  (ほとんどのアジアの輸出業者は，主要な市場として米国を当てにしている)

370 **remind** A **of**[**about**] B 〈人〉に〈予定の事〉を**思い出させる**・〔連想させて〕〈人・事など〉を**思い起こさせる**

- Hi, Jane, this is Greg. Just calling to **remind** you **about** the concert this weekend.
  (やあジェーン，こちらグレッグ。週末のコンサートの念を押すために電話しました)
- The movie **reminded** me **of** myself when I was younger.
  (その映画は私に若かったころの自分を思い出させてくれた)

♣ remind A to do は「〈人〉に~することを思い起こさせる」。

動詞句 ⑦

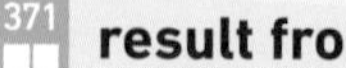

371 result from (～の結果として)**起こる**

- The accident **resulted from** a combination of mechanical and human factors.
  (その事故は機械的要因と人的要因が組み合わさった結果起きた)

♣ ⇒ as a result (440)

372 result in (～という結果を)**もたらす**(= end up (158))

- The fire **resulted in** property losses worth about $4 billion.
  (この火災は，およそ 40 億ドルの資産の損失をもたらした)

373 run into (～に)**衝突する**，(人に)**偶然出会う**，(困難などに)**おちいる**

- The race car nearly **ran into** the spectators.
  (そのレーシングカーはもう少しで見物人に衝突するところだった)
- Oh, I'm so glad I've **run into** you.(ああ，偶然会えてとてもうれしいよ)
- First Union Bank has **run into** some trouble *because of* its recent acquisition.
  (ファースト・ユニオン銀行は，最近の買収によって苦しい状況におちいった) ➲(73)

♣ 基本の意味「(～に)走って入る」でもよく使う。bump into「〈人〉に偶然出会う」という言い方もある。

374 specialize in 〔店などが〕(～を)**専門に扱う**，(～を)**専門に研究する**

- We **specialize in** manufacturing electronic appliances.
  (私たちは電子機器の製造を専門にしております)

♣ 大学の専攻には major in を用いる。

375 stand by (人を)**支持する**(= support)，(～に備えて)**待機する**(for, to do)

- I appreciate your **standing by** me in all this.
  (あなたがこのことでずっと私を支持してくださったことに感謝いたします)
- Our experienced Customer Service Specialists are **standing by** to assist you.
  (私どもの経験豊かなお客さまサービスのスペシャリストがあなたのお手伝いをするため待機しております)

♣「～のそばに立つ」が基本の意味。TOEIC ではこの意味で出ることも多い。stand behind「～の後ろに立つ」も比喩的に「支持する」の意味で使う。

376	**stay away**	(~に)近づかない・(~から)遠ざかっている(from)

• Tourists have been warned to **stay away** from trouble spots.
(観光客は紛争地に近づかないよう警告されている)

• **Stay away** from salty foods.
(塩分の多い食べ物は控えなさい)

377	**stay with**	(~に)滞在する[泊まる]

• When I went to San Francisco, I **stayed with** my uncle for two weeks.
(サンフランシスコに行ったとき，私はおじの家に2週間滞在した)

♣ with の後には「人」を置く。「〈場所〉に滞在する[泊まる]」は stay at[in] とする。
⇒ put ~ up (141)

378	**step in**	介入する・仲裁する(= intervene)

• The police **stepped in** and stopped the fight.
(警察が仲裁してけんかを止めた)

• Do you think the government should **step in** to prevent a banking crisis?
(政府は銀行危機を防ぐために介入すべきだと思いますか)

♣「(足を)踏み入れる」が基本の意味。

379	**succeed in**	(~(すること)に)成功する(doing)

• They have **succeeded in** reducing operational costs to one-third.
(彼らは経常費を3分の1まで減らすことに成功した)

♣ succeed in doing の反対は fail to do (332) がふつう。

380	**take ~ on**	(仕事などを)引き受ける(= undertake), (~を)雇う(= employ), (~と)対戦する

• *It is time* for you to **take on** more difficult and challenging tasks.
(君はより困難でやりがいのある仕事を引き受ける時機だ) ➲(517)

• We **took on** four employees last month.
(わが社では先月4人従業員を雇った)

• Japan will **take on** Argentina in the first round on Saturday.
(日本は土曜日の第1戦でアルゼンチンと対戦する)

♣「上に乗せる」が基本の意味。ほかに,「(新しい色・性質を)上に乗せる→(色彩・性質などを)帯びる」などの意味になる。

動詞句 ⑧

381	**take over**	(事業などを…から)**引き継ぐ**(from)(= succeed),《take ~ over で》(会社などを)**買収する**

- He **took over** the business from his father.
  (彼は父親から事業を引き継いだ)
- The company was **taken over** by Chinese capital.
  (その会社は中国資本に買収された)

♣ takeover は「引き継ぎ, 乗っ取り」の意味。

382	**talk ~ over**	~を(…と)**話し合う[相談する]**(with)(= discuss)

- Why don't we **talk** this **over** tomorrow?
  (このことは明日話し合いませんか)

♣ 次の over はあとの名詞について, それぞれ「~しながら」「~を通じて」の意味。
talk (about ...) over lunch「ランチを食べながら話す」, talk over the phone「電話で話す」

383	**transfer** (A) **to** B	(〈A〉を)〈B〉に**転勤[移動]させる**

- I will be **transferred to** New York *as of* March 30.
  (3月30日付で, 私はニューヨークに転勤の予定です) ➡(232)

♣ be transferred to B「〈B〉に転勤になる[移転される]」の形でよく使われる。

384	**turn around**	(反対方向に)**向きを変える**,《turn (~) around で》(状況などが)**好転する**・(状況などを)**好転させる**

- She **turned around**, walked out of the room, and never *came back*.
  (彼女はぐるりと向きを変え, 部屋から出て行き, 戻ることはなかった) ➡(109)
- If anyone can **turn** this company **around**, it's him.
  (もし誰かがこの会社の状況をよくすることができるとしたら, それは彼だ)

385	**turn ~ in**	(~を)**提出する**, (不審物・拾得物などを)**届け出る**

- He **turned in** his resignation yesterday.
  (彼は昨日辞表を提出した)
- Has anyone **turned in** a wallet recently?
  (最近, 財布を届け出た人はいませんか)

♣ hand ~ in (161) が同義。

386 turn out

〔結果が〕(～に) なる・(～と) 分かる (to be), (～に) 集まる (to do), 《turn ~ out で》(明かりを) 消す, (～を) 大量に生産[製造] する

- The bids for the bridge project **turned out** to be higher than expected.
  (橋プロジェクトの入札価格は予想以上に高くなった)
- What he said **turned out** to be false.
  (彼の言ったことは嘘だと分かった)
- 82% of the registered voters **turned out** to vote.
  (登録有権者の 82%が投票に来た)
- Did you **turn out** the lights? (明かりは消した?)
- The factory **turns out** five thousand cars every year.
  (その工場は毎年 5000 台の車を生産している)

♣ ⇒ turn ~ on[off] (40)

387 vote for[against]

(人・案などに) 賛成 [支持] の票を入れる

- I have not decided whether to **vote for** or **against** the bill.
  (私はまだその法案に賛成の票を入れるべきか反対の票を入れるべきか決めていない)

388 wait on

〔レストランなどで〕(客に) 応対する (= serve)

- Has anyone **waited on** you yet?
  (すでに誰かがご用を承りましたでしょうか)〔店員が客に〕

♣ ⇒ attend to (527)

389 worry about

(～を) 心配する, (～を) 気にする

- Don't **worry about** the problem. I'll help.
  (その問題については心配しないで。手伝うから)
- I think you're **worrying** too much **about** your weight.
  (君は体重を気にしすぎだと思うよ)

♣ be worried about は「心配している」という「継続・状態」を表す。
Don't worry .... には「心配するな」という意味と,「～についてはご心配なく〔～していただく必要はない〕」の意味とがある。

動詞＋名詞

390 **go[come] into effect** （法律・契約などが）発効する

• Summer library hours will **go into effect** on June 1.
（図書館の夏時間は6月1日から実施されます）

♣ put[bring] A into effect は「〈法律〉などを施行する」。
⇒ in effect (668), take effect (825)

391 **give[lend] A a hand** 〈人〉（の仕事など）に手を貸す（with）

• Can I **give** you **a hand** with these dishes?
（このお皿を片付けるのを手伝おうか）

♣ 特に（頭脳ではなく）身体を使って手伝うこと。 ⇒ help A with B (346)

392 **make a decision** （～について）決定する（on, about）

• The president will **make a** final **decision** on the issue in the next few weeks.
（大統領は次の2，3週間のうちに，その問題について最終決定をするだろう）

♣ come to[arrive at, reach] the decision は「決定に達する」。

393 **make a note (of)** （～を）メモする・書き留める

• OK, let me **make a note** of that before I forget it.
（オーケー，忘れないうちにメモしておこう）

♣ take[make] notes of は「（講義などの）ノートを取る」, take note of は「（～に）注目する・注意を払う」の意味。note は「ノート」が複数形，「注目・注意」が無冠詞であることに注意。
take notes of a lecture（講義のノートを取る）
take note of our customers' views（顧客の意見に注目する[耳を傾ける]）

394 **make a mistake** 間違う，誤りを犯す

• It's okay to **make a mistake**, *as long as* you learn from it.
（そこから学ぶ限り，誤りを犯してもいい） ➲(290)

♣ 動詞の場合は，mistake A for B「A を B と間違える[思い違いをする]」。

395	make an appointment (with)	(～と)会う約束をする

- I'd like to **make an appointment with** Dr. Thompson.
  (トンプソン博士と面会の約束をいただきたいのですが)

♣ have an appointment「会う約束がある」, confirm an appointment「会う約束を確認する」, cancel an appointment「会う約束をキャンセルする」

396	make it	(～に)〔何とか〕間に合う・たどり着く・出席する(to), (～を)乗り切る(through)

- I'm sorry I didn't **make it** *on time*.
  (時間に間に合わなくてすみませんでした) ➲(86)
- Are you going to **make it** to the party this Friday?
  (今週金曜日のパーティーには出られる?)

♣「困難や不都合を乗り越えて～する」が基本の意味。it は漠然と「状況」や「対象」を表す。

397	make use of	(～を)利用する

- Please *feel free to* **make use of** this service *at any time*.
  (このサービスをいつでも自由にご利用ください) ➲(294), (432)

♣ use に good, the best などをつけることもある。

398	see a doctor	医者にかかる

- You should **see a doctor** right away.
  (君はすぐに医者にかかるべきだ)

♣ この see は専門家に会って相談するという意味。 ⇒ consult with (542)

399	stand[wait] in line	一列に並んで待つ

- The boys are **standing in line** to buy tickets.
  (少年たちは券を買うために一列に並んで待っている)

♣ get in line「列に並ぶ[加わる]」, be in (a) line は「一列に並んでいる[ある]」ということ。 ⇒ line (~) up (354)

400 take A off — 〈期間〉の休暇を取る

- Could I **take** the day **off** tomorrow?
  (明日，1日休暇を取ってもよろしいでしょうか)

♣ 〈A〉に期間を表す語句が入る。three days off「3日間の休暇」, an afternoon off「午後の半休」など。the rest of the day off「早退」という言い方もある。 動詞は take のほか have, get も使う。
take A off work[school] で「〈期間〉(の間)〈仕事・学校〉を休む」とも言う。
⇒ take ~ off (14)

401 take it easy — のんびりする[やる]

- **Take it easy**.
  (のんびりやれよ[じゃあね])
- You need to *sit down* and **take it easy** for a while.
  (君は座ってしばらくのんびりしたほうがいいよ) ➲(174)

♣ Bye-bye. の意味でも使う。

402 take one's time — (あせらず)自分のペースでやる，のろのろやる

- **Take** your **time**. *There's no hurry.*
  (あせらずに。急ぐことはない) ➲(207)

♣ take time for[to do] は「〔人〕が(〜の・〜する)時間をとる,〔事が〕(〜に・〜するのに)時間がかかる」。

403 take the[this] opportunity [chance] to do — この機会をとらえて(〜する)

- Please **take this opportunity to** *sign up for* our monthly magazine 'New Science'.
  (この機会にどうぞ私どもの月刊誌「ニュー・サイエンス」をご契約ください) ➲(38)

♣ take chances[a chance] (of doing) とすると「危険・リスクをおかす」の意味になる。

be 動詞句①

404 be **absent from**

(～を)欠席する(⇔ be present at「～に出席して」)

- Why **were** you **absent from** class again yesterday?
  (君はなぜ昨日また欠席したの?)

405 be **accompanied by**

(～と)同伴である, (～が)添付してある, (～を)伴う

- Children under 10 must **be accompanied by** an adult.
  (10 歳以下の子どもは, 大人同伴でなければならない)
- Items being returned for a cash refund must **be accompanied by** a receipt of purchase.
  (現金払い戻しのために戻される商品には, 購入レシートを添付しなければならない)
- If the pain **is accompanied by** a fever, you may have a bacterial infection.
  (もし痛みが熱を伴っていたら細菌感染を起こしているかもしれません)

406 be **angry with**[**at**]

(人・事に)腹を立てている

- Please don't **be angry with**[**at**] me.
  (私に腹を立てないでください)
- I **am angry at** what you did.
  (私は君がやったことに腹を立てているんだ)

♣「事」の場合には at を使うことが多い。be angry about[over] は「～のことで腹を立てている」。

407 be **anxious about**

(～を)心配している

- They **are anxious about** their son's health.
  (彼らは息子の健康を心配している)

♣ be anxious to do「～したがる」もよく使う。be anxious for は「(～を)切望する」。

408 be **capable of**

(～の・～する)能力がある(doing)
(⇔ be incapable of「～の能力がない」)

- Don't worry, she'**s** perfectly **capable of** dealing with the situation.
  (心配しないで, 彼女にはこの状況に対処する完璧な能力があるから)

409 be **covered with** | (～で)覆われている

- The surface of the moon **is covered with** a layer of fine particles called "lunar soil."
  (月の表面は「月面土壌」と呼ばれる微粒子の層で覆われている)

410 be **dying for**[**to** do] | (～が)欲しくてたまらない(for), (～がしたくて)たまらない(to do)

- I **am dying for** a cup of coffee.
  (コーヒーが飲みたくてたまらない)
- Please write me. I **am dying to** know all about your new bride!
  (手紙を書いて。君の花嫁さんのすべてが知りたくてたまらないんだ!)

411 be **eligible for**[**to** do] | (～の・～する)資格がある

- Students who withdraw after July 4 will not **be eligible for** a refund.
  (7月4日以降に(入学を)取り消した学生には，払い戻しの資格はありません)
- All staff **are eligible to** *participate in* the revised health plan.
  (スタッフ全員が，改正されたヘルスプラン[健康保険]に加入する資格があります)

➡(361)

412 be **famous for** | (～で)有名である

- Napa Valley **is famous for** its wine production.
  (ナパ・バレーはワインの生産で有名だ)

♣ be famous as は「～として有名である」の意味。

413 be **filled with** | (～で)満ちている

- This book **is filled with** pictures and interesting facts about wild animals.
  (この本には野生動物についての写真とおもしろい事実がつまっています)

♣ 比喩的に「感情でいっぱいになる」の意味もある。fill A with B「AをBで満たす」の受け身形。もとの形(能動形)で使うことも多い。

be 動詞句②

414	be **full of**	(～で)いっぱいである,(～に)富んでいる

- The air terminal **is full of** passengers.
  (空港のターミナルは乗客でいっぱいだ)
- The newsletter **is full of** interesting and useful information.
  (このニュースレターには，おもしろくて役に立つ情報が満載です)

♣ full にも比喩的に「感情でいっぱいになる」の意味がある。

415	be **good at**	(～(すること)が)上手である(doing) (⇔ be bad[poor] at「～が下手である」)

- I'**m not good at** this kind of negotiation.
  (この種の交渉は苦手でね)
- She's **good at** putting her ideas across.
  (彼女は自分の考えを伝えるのが上手だ)　▸ put across「(考えなどを)うまく伝える」

416	be **in danger of**	(～の)危険にさらされている

- It has been estimated that 60,000 species **are in danger of** extinction.
  (6 万種が絶滅の危機にあると推定されている)

♣ put A in danger で「〈人〉を危険にさらす」, be out of danger は「危険を脱している」。

417	be **in trouble**	困っている

- He appears to **be in trouble**.
  (彼は困っているみたいだ)

♣ get in[into] trouble で「困った事態になる」。

418	be **looking to** do	(～することを)予定している・(～しようと)している

- We **are** currently **looking to** hire an accounting clerk.
  (わが社では現在，経理係の採用を予定しています)
- We'**re looking to** launch operations in Europe.
  (わが社はヨーロッパで事業を立ち上げようとしています)

419 be **necessary for [to** do] | (〜(するため)に)**必要である**

- A good diet **is necessary for** maintaining a healthy body.
  (健康な身体を維持するためには良い食事が必要である)
- Two more days will **be necessary to** complete the task.
  (その仕事を完了するにはあと 2 日必要でしょう)

♣ it is necessary (for A) to do では「to do」が真の主語なので「〜することが必要である」の意味。
It is necessary for you to click the "OK" button to finish the order.
(注文をし終えるには OK ボタンをクリックする必要があります)

420 be **popular with [among]** | (〜に・〜の間で)**人気がある**

- The nonstop New York-Hong Kong flights **are** very **popular with** business travelers.
  (ニューヨーク・香港直行便はビジネス旅行者の間に，とても人気がある)

421 be **proud of** | (〜を)**誇りに思う**

- Congratulations, Jerry. I'**m** really **proud of** you.
  (おめでとう，ジェリー。君のことを本当に誇りに思うよ)

♣ be proud to do「(〜することを)誇りに[光栄に]思う」, be proud that「…であることを誇りに[光栄に]思う」

422 be **required to** do | 〔法・規則などで〕(〜することを)**求められる**

- All employees **are required to** wear their identification badges while *at work*.
  (従業員は皆，就業中は身分証を身につけなくてはならない) ➲(243)

♣ require A to do「〈人〉が〜することを求める」の受け身形。require A for B「〈B〉のために〈A〉を必要とする」の受け身形もよく使われる。
What is required for admission to the MBA program?
(MBA 課程に入るのに必要なもの(資格)は何ですか)

423 be **satisfied with** | (〜に)**満足している** (⇔ be dissatisfied with「不満足である」)

- I have **been** more than **satisfied with** their products and customer service.
  (私は彼らの製品と顧客サービスにとても満足しています)

♣ 例文中の more than は「〜どころではなく，〜以上で」の意味。

be 動詞句③

424 **be similar to** ｜ (～と)似ている(= look like (9))

- I think I've seen a ring **similar to** this before.
  (これと似た指輪を以前見たことがあるように思う)

425 **be situated in[on, at]** ｜ (～に)位置している・ある

- The hotel **is situated in** a quiet residential area.
  (ホテルは閑静な住宅街に位置している)

♣ be located in[at, on] (64) と同義(located よりもかたい言い方)。

426 **be subject to** ｜ (変更などの)可能性がある,
(審査・承諾などを)受ける必要がある

- All prices **are subject to** change *at the end of* each month.
  (すべての価格が毎月末には変わる可能性があります) ➲(72)
- Passengers **are subject to** being searched on the boarding platform.
  (乗客は乗車ホームで所持品検査を受けなくてはなりません)

♣ 基本は, あるものに支配・影響を受けるという意味。

427 **be sure of[about]** ｜ (～を)確信している(= be certain of)

- I'**m sure of** the accuracy of the information.
  (その情報の正確さには確信がある)
- **Are** you **sure about** that?
  (それは確かなの?[確信しているの?])

♣ 文の主語が確信している(主語がIの場合は話者でもある)。be sure (that) で「…であることを確信している」。wh/if 節もくるが, これは疑問文や否定文で使う。
⇒ be sure to do (59), make sure[certain] (45)

428 **be the matter with** ｜ (～は)どうかした・具合が悪い

- What'**s the matter with** you?
  (どうかしたの?)
- Nothing.　Nothing **is the matter**.
  (なんでもないよ。何も具合が悪いことはないよ)

♣ matter は「問題」の意味。What is ...? あるいは, something[anything, nothing] is .... の形で使う。
⇒ be wrong with (430)

429 

be **tied up**

(〜で)手がふさがっている・忙しい(with)

- I'*m afraid* I'll **be tied up** with visitors from overseas this week.
  (申し訳ありませんが，今週は海外からの訪問客で忙しいと思います) ➡(202)

♣ tie A up (with)「〈A〉を〜で縛る・結ぶ」の受け身形から。したがって「縛られて[結ばれて]いる」という意味でも使う。tie up はほかに「提携する」の意味もある。

430 

be **wrong with**

(〜は)〔どこか・何かが〕具合[調子]悪い

- What'**s wrong with** your car?
  (君の車はどこが具合悪いの?)
- There'**s** something **wrong with** this telephone.
  (この電話は何か調子が悪い)

♣ What is ...? あるいは There is something [anything, nothing] ... の形で使う。Something [Anything, Nothing] is .... の形もある。 ⇒ be the matter with (428)

431

be[**get**] **bored with**

(〜に)うんざりしている[する]

- I'**m getting bored with** my current job.
  (現在の仕事にはうんざりしている)

♣ ほかに be sick of, be fed up with も同じような意味。be sick of は飽き飽きしているという感じが強い。be fed up with はくだけた言い方。
⇒ be[get] tired of (220)

TOEIC テスト　頻出連語④

★は最頻出連語 TOP 50

■ 配送・納期

logistics system	(物流システム)
shipping schedule	(出荷予定)
express service	(急行便)
delivery date	(納期)
delivery schedule	(納期予定)

■ 費用・経費

labor cost	(人件費)
administrative cost	(管理費)
advertising cost	(広告費)
production cost	(製造原価)
construction cost	(建設費)
total cost	(総額，総費用)
unit cost	(単価)
general expenses	(一般経費)
business expenses	(必要経費，事業活動費)
expense account	(必要経費)
moving expenses	(転居費)
transportation expenses	(運賃，交通費)
traveling expenses	(旅費，交通費)
hotel expenses	(宿泊費)
light and fuel expenses	(光熱費)

■ 支払い・残高

installment plan	(分割払い)
payment plan	(支払い計画，分割払い)
advance payment	(前払い金)
outstanding balance	(未払い残高)

🔊 トラック 3- 14

前置詞句・副詞句①

432	**(at) any time**	いつでも (= anytime)

- If there is anything else I can do, please call (**at**) **any time**.
  (ほかに何か私にできることがあれば，どうぞいつでも電話してください)

♣ ⇒ every[each] time (501)

433	**(every) once in a while**	ときどき，ときおり (= occasionally)

- It's good to *get out* into the country **every once in a while**.
  (ときおり田舎に出かけるのはいいことだ) ➲(116)

♣ in a while は「まもなく」の意味。⇒(for) a while (434), (every) now and then (689)

434	**(for) a while**	しばらくの間

- Would you please have a seat and wait **for a while**?
  (しばらくの間，座って待っていてくださいますか)

♣ a while「(短い) 時間」

435	**(just) around the corner**	角を曲がった所に，(時間・距離が) もうすぐ [間もなく]

- You'll find the restaurant **just around the corner**.
  (角を曲がった所にレストランがありますよ)
- Christmas is just **around the corner**!
  (もうすぐクリスマスだ！)

436	**ahead of**	(〜の) 前方に，〔時間が〕(〜より) 先に (⇔ behind)

- There were about fifty people **ahead of** us in the line.
  (私たちの前には 50 人ほどが列を作っていた)
- The company began selling tickets 15 minutes **ahead of** time.
  (その会社は予定より 15 分早くチケットの販売を始めた)

437	**all of a sudden**	突然に (= suddenly)

- **All of a sudden**, I heard two strong explosions.
  (突然，2 つの大きな爆発音が聞こえた)

♣ all at once も同じ意味。 ⇒ at once (240)

438 all the way (~から・~へ) **ずっと** (from, to)

- Neither of us spoke **all the way** home.
  (私たちは 2 人とも家までずっとしゃべらなかった)
- The trail goes downhill **all the way** to the beach.
  (道はビーチまでずっと下り坂が続いている)

♣ way の後に down, across などの方向を示す語をつけることもある。

439 and so on[forth] **~など**

- Last week, we discussed the pay, working conditions, **and so on** in my office.
  (先週，私たちは私のオフィスで，給料や労働条件などについて話し合った)

♣ and so forth は改まった言い方。

440 as a result (~の) **結果として** (of), 《前の文を受けて》**その結果として**

- Sales have increased 3.5% **as a result** of continued promotional activity.
  (販売促進活動を継続した結果，売り上げは 3.5%伸びた)
- **As a result**, the next game will be held on Saturday in Yokohama.
  (結果として，次の試合は横浜で土曜日に開催されることになるだろう)

441 as follows **次のとおりで**

- My questions are **as follows**: ...(私の質問は次のとおりです。…)

♣ あとにコロン(:)をつけて，項目を列挙する。

前置詞句・副詞句②

442 as if[though] (まるで) **~のように**

- He looks **as if** he hasn't slept all night.
  (彼はまるで一晩中眠れなかったようだ)
- It looks **as though** it's going to rain.(雨が降りそうな気配だ)

♣ look, sound, feel, seem などの後で使うことが多い。「まるで~のように」の意味では as if[though] の後に仮定法を使うこともある。
Laurie looks as if she saw a ghost.
(ローリーはまるで幽霊を見たかのような顔をしている)
⇒ look like (9), feel like (159)

443 as to
(～に)ついて(は)(= about)

- **As to** that problem, we have no objection.
  (その問題については異論はありません)
- He said nothing **as to** when he would come.
  (彼はいつ来るかについては何も言わなかった)

♣ あとに wh- の文を続けることが多い。 ⇒ as for (642)

444 at a time
一度[回]に

- The ATM only lets you *take out* $300 **at a time**.
  (ATM では一度に 300 ドルまでしか引き出せない) ➲(143)

♣ 前に「数」を表す表現がくる。「一斉に」という意味ではないので注意。
⇒ at times (450), at once (240)

445 at a[the] rate of
(～の)割合[料金・速度・量]で

- The killer bees are spreading northward **at the rate of** 200 miles *per year*.(殺人バチは 1 年に 200 マイルの割合で北方に向かって広がっている) ➲(88)

♣ あとに an[per] ...「…当たり」を続けることが多い。

446 at one's (earliest) convenience
都合のよいときに

- Could I see you this week **at your convenience**?
  (今週ご都合のよろしいときにお会いしたいのですが)

♣ for one's convenience は「〈人〉に便利なように」。

447 at the age of
～歳のときに

- Richard was born in Kentucky but *moved to* Florida **at the age of** 10.
  (リチャードはケンタッキーで生まれたが，10 歳のときにフロリダへ移った) ➲(31)

♣ at age 10 とも言う。「10 歳」は ten years of age または ten (years old)。

448 at the top of
(～の)頂上に[で]，(～の)上部に，
(～の)一番[最重要]で

- She was standing **at the top of** the stairs.(彼女は階段の最上段に立っていた)
- **at the top of** the page(ページの上部に)
- **at the top of** the agenda[list](議題[リスト]の一番に，最優先に)

♣ 反意語は，at the foot of「(～の)ふもと[足もと]に」，at the bottom of「(～の)最下部[一番下]に」。 ⇒ on (the) top of (478)

449 at this time ｜ 現時点で(は), 今のところ(は) (= now)

- I *am afraid* I can't say anything **at this time**.
  (現時点では私は何も言えません) ➲(202)

♣《フォーマル》な文で使う。at the moment (241) が同義。at this time of (the) year は「毎年この時期は」, (at) this time yesterday[tomorrow] は「昨日[明日]の今ごろ(は)」。

450 at times ｜ ときどき (= sometimes, occasionally)

- **At times** I wish I could just quit my job and go to Tahiti.
  (ときどき仕事をやめてタヒチに行けたらな，なんて思う)
  ▸ I wish I could「〜ができればいいのに〔仮定法〕」

♣ from time to time も「ときどき」でほぼ同義。

451 behind schedule ｜ 予定より遅れて

- The play is going to start 15 minutes **behind schedule**.
  (予定より 15 分遅れで開演します)

♣ behind the times とすると「時代遅れの」の意味になる(times は「時代・時勢」)。「予定どおり(に)」は on schedule, 「遅れている」は ahead of schedule。
⇒ ahead of (436)

前置詞句・副詞句③

452 by accident[chance] ｜ 偶然に, 誤って (= accidentally)

- Fleming discovered penicillin **by accident**.
  (フレミングは偶然ペニシリンを発見した)
- I'm so sorry, I dropped it **by accident**.
  (本当にごめん，誤ってそれを落としちゃったんだ)

♣ accident も chance も「偶然」の意味。「事故で」は in an accident と言う。

453 by air ｜ 航空便で (= by air mail), 飛行機で (= by airplane)

- Please send 10 units **by air** and the rest by sea.
  (10 個は航空便で，残りは船便で送ってください)
- The number of people traveling **by air** will reach 2.3 billion by 2010.
  (飛行機で旅行する人の数は 2010 年までには 23 億人に達するだろう)

♣ by sea は「船便で」。

454 by now　もう，今ごろは

• He's *supposed to* be here **by now**.
（彼は今ごろはもうここにいるはずなのに） (60)

♣ ⇒ as of (232), from now on (467)

455 by the time　(~する)までに(は)

• **By the time** you *get back*, I'm sure the problem will be resolved.
（君が戻るときまでには，きっとその問題は解決されていると思う） (112)

♣ 後に文を続ける。 文中は未来のことでも現在形を使う。

456 either way　どちらにしても〔結果は同じで〕，どちらでも(よい)

• **Either way**, I'll be in Tokyo this weekend.
（どちらにしても，私はこの週末東京にいるよ）
• **Either way** is fine with me.（私はどちらでもいいよ）

457 even if　たとえ~でも

• We have to finish this **even if** it takes us all night.
（たとえ一晩かかってもこれを終わらせなければならない）

♣ 後を仮定法の文にすることもある。
I couldn't tell you even if I knew.（たとえ知っていても，お教えすることはできません）

458 even though　~だけれども・~にもかかわらず（= although）

• **Even though** I've studied the program for weeks, I still can't understand it.
（何週間も練習したけれども，私にはそのプログラムはいまだに理解できない）

459 far from　(~には)ほど遠い・(~では)決してない

• We are **far from** satisfied with these results.
（これらの結果は，私たちには満足にはほど遠いものです）
• Japanese tourism is still **far from** meeting the needs of the disabled.
（日本の観光事業は依然として，障害者たちのニーズを満たすものでは決してない）

♣ あとには形容詞・動名詞がくる。基本の「~から遠い」という意味では，ふつう疑問文・否定文で使い，肯定文では a long way from がふつう。
There's a shopping mall not far from here.（ここから遠くない所にショッピングモールがある）

460 **for a long time** 長い間

- *Sorry for* not writing to you **for** such **a long time**.
  (長い間手紙を書かなくてごめんなさい) ➲(55)

♣ 反対は for a short time「少しの間」。
The road was closed for a short time.(少しの間, 道路は閉鎖された)

461 **for ages** 長い間

- Have you seen Dixie anywhere?
  — No. Actually, I haven't seen her **for ages**.
  (ディクシーにどこかで会ったかい? — いいや。実際, 長い間彼女には会ってないよ)

♣ for a long time (460) のくだけた言い方で,「長い」ことを強調する。
⇒ for good (658)

前置詞句・副詞句④

462 **for free** ただで, 無料で

- Click here to download E-book Reader now **for free**!
  (無料で電子書籍リーダーをダウンロードするには, 今すぐここをクリックしてください!)

♣ くだけた言い方。 商取引などでは free of charge (466) を使う。

463 **for rent** 賃貸用の

- I *am interested in* the room you have **for rent**.
  (あなたが賃貸用にもっている部屋に興味があります) ➲(50)

♣ ⇒ for sale (253)

464 **for sure[certain]** 確かに, 確実に (= surely, certainly)

- One thing is **for sure**: He still loves Marian.
  (1つだけ確かなことがある。彼はまだマリアンを愛しているんだ)
- Nobody knows **for sure** which side started the battle.
  (どちら側からけんかを始めたのか, 誰もはっきりとは知らない)

♣ know, tell, say などの後で使うことが多い。 否定文にすると「確かには…ない」という部分否定の文になる。

100 200 300 400 500 600 700 800 900

465 for the first time　はじめて

- **For the first time** in my life, I feel happy to be alive.
（人生ではじめて生きていてよかったと思います）

♣ 反対は for the last time「最後に」。　⇒ at first (238)

466 free of charge　無料で

- The leaflets are available **free of charge** at the tourist information office.（リーフレットは観光案内所で無料配布しています）

♣ for free (462) より改まった言い方。ほかに, at no extra charge[cost]「追加料金[費用]なしで」などが, DM の文などでよく使われる。

467 from now on　これからは

- **From now on**, would you please send your letters to the following address: ....
（今後は, 手紙は以下の住所に送ってくださいますか。…）

♣ from then on「そのときから(は)」

468 hardly ever　ほとんど[めったに]…ない

- How often do you work overtime? — **Hardly ever**.
（残業はよくありますか — ほとんどありません）

469 here and there　あちらこちらに[で]

- **Here and there** you'll see waterfalls, and they're perfect for taking pictures of.
（あちらこちらに滝があり, どれも写真を撮るのに絶好のものです）

♣ 日本語と語順が逆になる。here and now は「今この場で」。これも語順が逆。

470 in a minute[moment]　すぐに

- I'll be with you **in a minute**.
（すぐにまいります）

♣ any minute (now) はもっと近く「今にも, すぐに」の意味。the minute S+V で「～するとすぐに(as soon as)」の意味。

⇒ for a minute[moment] (252)

471 in a row — 一列に(並んで), 連続して

- Seven chairs are arranged **in a row** on the stage.
  (椅子が 7 つ壇上に一列に並べられている)
- He made three careless errors **in a row**.
  (彼は続けて 3 つのケアレスミスを犯した)

♣ in rows にすると「いく列にもなって」。「連続して」の意味では, 前に数を表す表現をつける。 ⇒ on end (895)

前置詞句・副詞句⑤

472 in all — 全部で, 合計で

- **In all**, women hold 9% of the 6,000 board seats at the top 500 companies.
  (上位 500 社, 6000 の役員職のうち合計で 9%を女性が占めています)

♣ ⇒ all in all (851)

473 in terms of — (~の)点[立場]から

- China is already the world's second largest economy **in terms of** gross domestic product.
  (GDP(国内総生産)の点では, 中国はすでに世界で 2 番目の経済大国だ)

474 in the[one's] way — (~の)邪魔になって(of)

- Sorry. I didn't know I was **in the way**.
  (すみません。邪魔になっているとは知りませんでした)
- I'm not letting anyone get **in the way** of this project.
  (私は誰にもこの計画を邪魔させない)

♣ 例文のように be[stand, get] in the way (of) のようにすることが多い。
⇒ in a way (665), on the[one's] way (487)

475 in those days — 当時は, そのころは

- I was a big fan of The Rolling Stones **in those days**.
  (当時私はローリングストーンズの大ファンだった)

476 **more and more** ますます, いよいよ

- Today, hand-held computers are becoming **more and more** popular.
（今日, ハンドヘルド・コンピューターの人気はますます高まっている）

477 **not always** いつも[必ずしも]～とは限らない

- But it is **not always** the case.
（でも, それは必ずしもそうとは限らないよ）

♣ 部分否定の表現。not necessarily も同義。このほか all, every, both などのような全体を示す語の前に not をつけると部分否定になる。

478 **on (the) top of** (～の)上に, (～に)加えて(besides)

- There's a dome **on (the) top of** the building.
（その建物の上部にはドームがある）
- **On top of** the minimum investment, a documentation fee of five percent will be charged.
（最低投資額に加えて, 5%の文書代が請求されます）

♣「～に加えて」の意味では常に on top of になる。in addition (76) が同義。
⇒ at the top of (448)

479 **on average** 平均して

- Dam removal is, **on average**, three to five times less expensive than dam repair.
（平均して, ダムの撤去はダムの修復より 3 ～ 5 倍は安くすむ）

480 **on board** 乗車[乗船・搭乗]して(= aboard)

- There were more than 1,000 passengers **on board** (the ship).
（1000 人以上の乗客が乗船していた）

♣ 副詞あるいは前置詞として使う。

481 **on business** 仕事で, 商用で (⇔ for pleasure「遊びで, 娯楽として」)

- Mr. Koba is away **on business** and won't be back until next week.
（コバ氏は商用で出かけていて来週まで戻らないでしょう）

♣ ⇒ go on (125)

前置詞句・副詞句⑥

482 

on earth | 《疑問詞の後で》いったい全体,《最上級を強めて》世界一で,《否定語の後で》全然(= at all (236))

- What **on earth** are you saying?
  (いったい何を言っているの?)
- I'd be the happiest person **on earth**.
  (私はこの世で一番の幸せ者でしょう)
- There's no way **on earth** that I can accept your terms.
  (あなたの条件を受け入れることはまったくあり得ない)

♣ in the world も同義で使えるが, TOEIC では文字どおりの「世界で」の意味が多い。3番目の例の(There's) no way は「~は絶対にない」の意味。これをさらに on earth で強調している。

483 

on hand | 近くに(いる)・手近に(ある)(= available)

- Our staff will be **on hand** to answer any questions you may have.
  (あなたのいかなるご質問にも答えられるよう, 私どものスタッフがお近くにおります)

484 

on purpose | わざと・故意に(= intentionally)(⇔ by mistake (245))

- You kept me waiting **on purpose**, didn't you?
  (わざと私を待たせたんでしょう?)

485 

on the line | 電話で, 電話がつながって

- Please stay **on the line**.
  ((電話で)そのままお待ちください)

♣ line は「電話線」のこと。on line[online] (691) は「インターネット」のこと。

486

on the whole | 概して, 全体から見て(= generally)

- **On the whole**, the experiment was successful.
  (その実験は概して成功だった)

♣ 文全体にかかる。 ⇒ as a (general) rule (639), as a whole (640), all in all (851)

487 on the[one's] way

(～へ・～から)の途中で[に] (to, from)

- I think we can talk about it **on the way** to the airport.
  (そのことについては空港へ行く道々，お話しできると思います)
- She is **on** her **way** to a full recovery.
  (彼女は完治しつつある)

♣ on one's way home[back]「家に帰る途中で」(to は不要), on one's way out「外へ出る途中で」 ⇒ in the[one's] way (474), along the way (637)

488 on vacation

休暇で[に]

- I will be **on vacation** for two weeks.
  (私は 2 週間の休暇をとります)
- Where did you go **on vacation**?
  (休暇にはどちらに行きましたか)

♣ ⇒ go on (125), on business (481)

489 over and over again

繰り返し，何度も(= repeatedly)

- I warned you **over and over again**!
  (何度も警告したはずだ！)

490 right here[there]

ちょうどここに[そこに]・ちゃんとここに[そこに]

- If you need any help, I'll be **right here**.
  (もし助けが必要なら，私はここにいますから)

♣ ⇒ right now[away] (87)

491 side by side

(2 人[2 つ]が横に)並んで，共存[協力]して

- Two vehicles are parked **side by side**.
  (乗用車 2 台が並んで駐車されている)
- Genius and madness exist **side by side**.
  (天才と狂気は共存する)

前置詞句・副詞句⑦

492 step by step — 一歩ずつ, 着実に

• Perhaps we could now *go through* the process **step by step**.
(それでは手順を追って1つ1つやってみませんか) ➲(342)

♣ step-by-step で「段階的な」の意味(形容詞)。
step-by-step progress (段階的な進歩)
例文の perhaps は話し言葉で「提案」や「依頼」をやわらげる表現(「おそらく」ではない)。

493 thanks to — (人・事の)おかげで

• **Thanks to** your careful preparation, the meeting was very successful.
(あなたの周到な準備のおかげで, 会議は大成功でした)

♣ あとに特定の人か事を続ける。時に皮肉を込めて使う。
Thanks to you, I didn't sleep all night. (君のおかげで, 一晩中眠れなかったよ)

494 up and down — 上がったり下がったり, 行ったり来たり

• The players are jumping **up and down** with excitement.
(選手たちは興奮して飛び跳ねている)

♣ 上下のほかに, 平面上の動きにも使う。例文の be jumping up and down は「(喜びなどで)跳ねている」。名詞で ups and downs は「起伏, 浮き沈み」の意味。

495 without delay — 遅れずに, すぐに (= immediately)

• Please fill out the form below and send it to us **without delay**.
(下の用紙に記入して, すぐにこちらにお送りください)

496 without question [doubt] — 疑いなく, 確かに (= undoubtedly)

• This was, **without question**, the most difficult game we've ever played.
(これは確かにこれまでで一番難しい試合だった)

♣ 挿入的に使うことが多い。doubt には a をつけることもある。beyond question [doubt] も同じ意味。 ⇒ be out of the question (846), no doubt (717)

名詞句・形容詞句

497 (as) compared to [with]　(～と)比べて・比較して

• *According to* the company's report, sales were up 2.5 percent **compared to** the same time last year.
(その会社の報告書によると，売上高は昨年の同時期に比べて 2.5%増加した)　➲(69)

498 a great[good] deal of　(非常に)たくさん[多量]の～

• We've done **a great deal of** research on our target audience.
(私たちは対象となる視聴者[読者]について多くの調査をした)

♣ 量を表すのに使う。great のほうが意味が強い。a large amount of (499) も同じ意味。「(非常に)多数の～」は a good [great] many や a (large [great]) number of など。

499 a large amount of　(非常に)大量[多額]の～

• The banks own **a large amount of** corporate stocks.
(銀行は非常に大量の会社株を所有している)

♣ large amounts of とも言う。large のほかに fair, considerable, enormous などの形容詞も使う。　⇒ a great[good] deal of (498)

500 every other　1つおきの

• We are considering publishing the newsletter **every other** week *instead of* weekly.
(私たちは週刊ではなく隔週刊で会報を発行しようかと考えている)　➲(81)

♣ あとに day, week, Sunday などを続ける。1つおきは「2つごと」でもあるので，every two days[second day] とも言う。「2つおき(3つごと)，3つおき(4つごと)，…」は，同様に every three[four, ...]，あるいは，every third[fourth, ...] とする(基数を使うほうが多い)。

501 every[each] time　(～する)ときはいつも(= whenever)

• **Every time** I go to the shop the CD *is sold out*.
(店に行くといつもその CD は売り切れている)　➲(218)

♣ 接続詞として使う。(at) any time (432) も同じ意味で接続詞として使える。このほか，next time S+V は「今度～するときに」の意味。いずれも，未来のことでも V は現在形を使う。　⇒ by the time (455)

502 face to face

直接（会う・話す），（事に）相対［直面］して（with）

- It was the first time I met him **face to face**.
  （彼に直接会ったのはそれがはじめてだった）
- I have come **face to face** with the reality of growing older.
  （私は年をとっていくという現実に直面した）

♣ face-to-face は「向き合っての，対面の」の意味。face-to-face selling「対面販売」
⇒ in person (262)

503 nothing but

ただ～だけ（= only）

- I have heard **nothing but** praise from everyone who attended the conference.
  （大会に参加した人たち全員から賞賛の声しか聞かなかった）
- She did **nothing but** complain.（彼女は文句を言うばかりだった）

♣ but は「～以外の」の意味。「～以外はゼロ」から only の意味になる。but の後が動詞のときは原形にする。

504 regardless of

（～に）関係なく

- Anyone can apply for the contest, regardless of age.
  （年齢に関係なく，どなたでもコンテストに応募できます）

その他（接続表現・会話表現等）①

505 as much[many] as A | 〈A〉ほども多くの

- Local officials estimate that the project could bring in **as much as** one million dollars to Busselton.
（地元の関係者は，このプロジェクトがバッセルトンに 100 万ドルもの利益をもたらすと見積もっている）
- The new factory is expected to generate **as many as** 700 new jobs.
（この新工場は 700 人もの新規雇用を生み出すと予想されている）

♣ 〈A〉は数量を表す語句。〈A〉が多いことを強調する。 ⇒ as ... as possible (98)

506 can't wait for [to do] | （～（するの）が）待ちきれない

- I **can't wait for** summer vacation to come!
（夏休みのくるのが待ち遠しい！）
- I **can't wait to** meet you on Monday at the Tokyo Trade Show.
（月曜日に東京トレードショーでお会いするのが楽しみです）

507 cash or credit (card) | 現金か，それとも（クレジット）カードか

- How will you *pay for* this, **cash or credit**?
（これは現金でお支払いになりますか，それともクレジットカードでなさいますか） ➲(32)

508 may[might, could] well be[do] | たぶん（～）だろう（= probably），《you ... で》（～するのは）もっともだ

- This **may well** be the best book on the subject ever written.
（これはそのテーマについてこれまで書かれた本の中でたぶん一番いいものでしょう）
- You **might well** *be interested in* the place.
（その場所に興味を持つのももっともです） ➲(50)

♣「～するもっともな理由がある」が基本の意味。might, could は控えめな言い方になる。
⇒ might[may] as well do (716)

509 neither A **nor** B | 〈A〉も〈B〉も…でない（= not either A or B）

- Unfortunately, **neither** Mr. Saito **nor** Ms. Fujii will be able to attend the conference this evening.
（残念ながら，斉藤氏も藤井氏も今夜の会議には出席できません）

♣ A, B の部分に動詞を含む場合は「A もしないし B もしない」となる。neither/nor と (not) either/or の組み合わせを問う問題は TOEIC 頻出。 ⇒ either A or B (293)

510  **no matter how [what, where, etc.]** たとえどのように[何を, どこへ, など]…でも

- **No matter how** big or small your company is, WEB-ADS is your essential reference guide!
  (あなたの会社がどのように大規模でも小規模でも，WEB-ADS はあなたの必携の手引書です！)
- **No matter what** your task is, we likely have what you need to tackle it.
  (あなたのお仕事が何であっても，私たちはそれに取り組むために必要なものを用意しております)

♣ それぞれ however, whatever, wherever などと同義。「たとえ~でも」という意味がより強調される。

511  **no more than** A わずか[ほんの]〈A〉(= only)

- **No more than** thirty people attended the public meeting.
  (その市民集会にはわずか 30 人が出席しただけだった)

♣ 数・量・程度が「少ない」ことを強調する。
not more than A は「〈A〉よりも多くなく，多くても〈A〉」という意味。no more than A をこの意味で使うこともあるので注意。
Please make sure that the bricks are stacked no more than three bricks high.
(レンガは高さが 3 段以下になるように積み上げてください)
反対に,「多い」ことを強調するのは ⇒ no less than A (718)

512  **now (that)** (今や)…だから, …なので

- **Now that** we have received your return, a refund will be processed to your account within three business days.
  (お客様の返品を受領いたしましたので，3 営業日以内にお客様の口座に返金が行われます)

♣ あとに文を続ける。

513  **it's been a while** 久しぶりですね

- Hi, Roger! **It's been a while**. How have you been?
  (やあ，ロジャー！ 久しぶりだね。元気でしたか)

♣ it's been a long time (since) も同義。a while のほうが少しくだけた言い方で，親しい間柄で使う。 後に since ...「…以来」と具体的に前回会った時を言うこともある。

514 **it[there] is no use** doing ｜ (〜しても)無駄である

- **It is no use saying**, "We are *doing our best*." You have got to *succeed in* doing what is necessary. — Winston Churchill
  (「最善を尽くしている」などと言うのは無駄だ。必要なことを首尾よくやらなければならないのだ — ウィンストン・チャーチル) ➲(186), (379)

♣ there is no point (in) doing も同じ意味で使える。 ⇒ **be in use** (626)

その他（接続表現・会話表現等）②

515 **(it is) no wonder (that)** ｜ (…であるのも)当然だ (= it is natural (that))

- Oh, I didn't know she was in London office. **No wonder** she didn't answer my calls.
  (彼女がロンドンのオフィスにいるとは知らなかったよ。どうりで電話に出なかったわけだ)

516 **(it is) not until** A **(that)** ｜ 〈A〉になって(はじめて)…である

- **It was not until** the 1970s **that** people began to be alarmed by the effects of global warming.
  (人々が地球温暖化の影響に不安を抱き始めたのは1970年代に入ってからである)

♣「〈A〉まで〜しなかった」の文を it ... that で強調する文。〈A〉は語・句・節。

517 **it's time** ｜ もう(〜の・〜して[…であって]よい)とき[時間]である (for, to do, that)

- **It's time** for action.(行動するときです)
- I think **it's time** to leave this place.
  (もうおいとましなくてはなりません)
- **It's time** you started running your career like a business.
  (今やビジネス(経営)のように，あなた自身の職業の(経営)管理を始めるとき[時代]です)

♣ time に high や about をつけることがある。 文を続けるときは，あとの動詞を過去形にする。

518 **see if[whether]** ｜ …かどうか確かめる

- Why don't I call him to **see if** he can come to our office and discuss it with us?
  (彼に電話をして，私たちのオフィスに来て相談できないか聞いてみようか)

♣ see wh-/how の形もよく使う。

519 **such ... (that)** | とても…なので

- Our tents are of **such** superior quality **that** they are the overwhelming choice of mountaineers around the world.
  (私たちのテントは非常に優れた品質を誇っており，世界中の登山家から圧倒的な支持を得ております)

♣ such の後には「(形容詞+)名詞」が入る。 ⇒ so ... (that) (304)

520 **the same** A **as** B | 〈B〉と同じような〈A〉, 〈B〉と同一の〈A〉

- Online contracts have **the same** legal force **as** paper contracts.
  (オンライン上の契約は書面上の契約と同等の法的効力を持つ)
- Shakespeare died on **the same** day **as** he was born.
  (シェークスピアは生まれたのと同じ日に死んだ)

♣ 〈A〉のない形(the same as B)でも使う(このとき same は代名詞または副詞)。
My last name is the same as yours.(私のラストネームはあなたのと同じです)

521 **too** A **to** do | とても〈A〉なので(~)できない，(~する)には〈A〉すぎる

- She is **too** busy **to** take a vacation, even for *a couple of* days.
  (彼女はとても忙しく，たった 2，3 日の休みも取ることができない) ➲(282)

♣ 〈A〉は形容詞・副詞。

TOEIC テスト　頻出連語⑤

★は最頻出連語 TOP 50

■ オフィス・機器

head office （本社，本店）
branch office★ （営業所，支店）
office job （事務仕事）
office work （事務作業）
office space★ （事務所スペース）
conference room★ （会議室）
office supplies★ （事務用品）
office equipment （事務機器）
office facilities （事務設備）
office furniture （オフィス家具）
office accessories （オフィス装飾[付属]品）
copy machine （コピー機）
air conditioning （エアコン，空調設備）
air conditioner （エアコン）

■ 会議・大会

management meeting （経営会議）
stockholders'[shareholders'] meeting （株主総会）
annual meeting[convention] （年次総会）
business conference （営業全体会議）
sales meeting[conference] （販売会議）
staff meeting★ （スタッフ会議）
conference call （電話会議）
video conference （テレビ会議，ウエブ会議）
online meeting （オンライン会議）
keynote address[speech] （基調演説）
guest speaker （ゲストスピーカー）

PART 4 (522-731)

TOEIC テスト 700 点レベル頻出熟語

動詞句

動詞句 ①～⑧
動詞＋名詞
be 動詞句 ①～③

その他の品詞句

前置詞句・副詞句 ①～⑦
名詞句・形容詞句
その他（接続表現・会話表現等）①～②

動詞句 ①

522 	**aim at[for]**	(～を・～することを) **目指す** (doing)

- The system **aims at** reducing the number of road accidents.
  (そのシステムは交通事故の減少を目指している)
- She **aims for** success in her career.
  (彼女はキャリアでの成功を目指している)

♣ at のほうが具体的・直接的な目標を示す。後に doing を続けるときは at を使う。aim to do「～することを目指す」の形もある。また, aim A at B「〈物〉を〈人・物〉に向ける」の受け身形 A is aimed at B もよく使われる。
This book is aimed at beginners. (この本は初心者向けです)

523 	**allow for**	(時間・費用などを) **考慮しておく [備えておく]**

- The estimated delivery date **allows for** customs clearance.
  (納品日の見積りには, 通関手続きが考慮されております)

♣ allow A to do (20)

524 	**amount to**	〔総計が〕(～に) **なる**

- Our records show that your invoice #956, **amounting to** $1,200, is still unpaid.
  (私どもの記録では, あなた宛ての請求書 No.956 は, 総計 1200 ドルですが, まだ未払いです)

♣ 名詞の amount は「(～の) 総計・合計 (of)」の意味。 ⇒ a large amount of (499)

525	**approve of**	(～に) **賛成する**, (～を)〔よいと〕**認める [受け入れる]** (⇔ disapprove of)

- Do you **approve** or disapprove **of** that action?
  (君はその行動に賛成, それとも不賛成?)
- My parents don't really **approve of** my boyfriend.
  (両親は, 私の彼をまったく受け入れてくれない)

♣ approve A は「(公的機関・組織が)〈予算・申請〉を承認 [許可] する」

526	**arrange** A **for** B	〈物・事〉を〈人・事〉のために**手配 [準備] する**, 〈会合など〉を〈日時〉に**設定する**

- We can help you **arrange** a wedding reception **for** *up to* 250 people.
  (私どもでは結婚披露宴を 250 名様までご用意できます) ➡(90)
- **arrange** a meeting **for** Monday morning
  (会議を月曜の午前中に設定する)

♣ arrange for A「〈物・事〉の手配をする」とも言える。 また, **arrange (for A) to do**「(〈人〉が)～するよう手配する」もよく使う。
arrange for a private room (個室を手配する)
I have arranged for you to meet Marian. (君がマリアンに会えるよう手配したよ)

527
attend to
(仕事を)**処理する**,
(人の)**応対をする・世話をする**

• I've got something really important to **attend to** right now, so if you'll excuse me.
(今すぐ処理しなくてはならないとても重要な用件ができたので, 失礼させてください)

• Are you being **attended to**?
(誰かご用を承っておりますか)〔店員が客に〕

♣ attend には「～に出席する」の意味があるが, これは名詞を直接あとに置く。
attend the conference (大会に出席する)

528
back ~ up
(データなどの)**バックアップをとる**, (人(の主張)を)**支援する** (= support), **後退する・(~を)後退させる**

• *Be sure to* **back up** your files every day.
(ファイルは毎日必ずバックアップをとりなさい) ➲(59)

• Do you have credible information to **back up** your statement?
(あなたの言うことを証拠だてる信頼できる情報をおもちですか)

• He **backed up** the car. (彼は車をバックさせた)

♣ **backup** は「予備(の), バックアップ(の)」〔名詞・形容詞〕の意味。
a backup generator (予備の発電機)

529
bound for
~行きの

• This is a limited express **bound for** San Diego.
(これはサンディエゴ行きの特急です)

♣ **inbound** は「本国[市内]行きの」, **outbound** は「外国[市外]行きの」。
⇒ **be bound to do** (834)

530
break down
(機械・車などが)**故障する**,
(交渉・計画などが)**失敗する** (= fail)

• My car **broke down** on the freeway.
(高速道路で車が故障した)

• Talks between the union and the airline **broke down** on Thursday.
((労働)組合と航空会社の話し合いは木曜日に決裂した)

♣ **break A down**「〈物〉を取り壊す」が基本の意味。**breakdown** は「故障, (交渉)決裂」。

531 **bring ~ in** (人を)招き入れる,(制度などを)取り入れる,(利益を)もたらす

- *In that case*, why don't we **bring in** an outside consultant?
  (それなら，外部のコンサルタントを入れたらどうだろう?) ➲(255)
- She said *it was time* to **bring in** new ideas and new challenges.
  (もうそろそろ新しい考えと新しい挑戦を取り入れるときだと彼女は言った) ➲(517)
- The film has **brought in** $64.8 million *to date*.
  (その映画は現在までに 6480 万ドルの収益を上げている) ➲(899)

♣「持ち込む」が基本の意味。

動詞句 ②

532 **bring ~ out** (特性・才能などを)引き出す,(新製品・本などを)出す[出版する]

- Good teachers help **bring out** the best in students.
  (よい教師は生徒の最高の部分を引き出す手伝いをするものだ)
- **bring out** a totally new line of dictionaries
  (まったく新しい種類の辞書を出版する)

♣「持ち出す，取り出す」が基本の意味。「(意味・真理などを)明らかにする」の意味もある。 ⇒ come out (111)

533 **call ~ off** (~を)中止する[取り消す] (= cancel)

- The game was **called off** because of heavy rain.
  (大雨のため試合は中止となった)

♣ ⇒ put ~ off (138)

534 **call in** (オフィスなどへ)電話で報告する

- You must **call in** if you are going to be late or absent *for any reason*.
  (いかなる理由であれ遅刻したり欠席したりする場合には電話連絡をしなければならない) ➲(660)

♣ call in sick で「病欠の電話をする」。

535 **carry ~ on** (活動などを・~することを)続ける (with, doing) (= continue)

- Please **carry on** with your good work.
  (よい仕事をお続けください)
- **carry on** working after retirement age (定年後も働き続ける)

♣ ⇒ go on (125), keep (on) doing (132)

536 **carry ~ out** | (計画・任務などを)実行[遂行]する (= perform, fulfill)

• We are **carrying out** a full-scale restructuring of the corporation.
(私たちは会社の全面的なリストラの実行中です)

537 **clear ~ up** | 晴れ上がる，(問題などを)解決する

• It's starting to **clear up**.(天候が回復してきた)
• Your report has done much to **clear up** the confusion.
(あなたの報告は混乱の解決に大いに役立ちました)

♣「きれいにする，はっきりさせる」が基本の意味。「(場所などを)片付ける，(映像を)はっきりさせる，(病気・悩みが)治る・消える」など。

538 **come by** | (人の家に)立ち寄る，(入手困難な物を)手に入れる(= get, obtain)

• Could you **come by** my office this afternoon for a talk?
(今日の午後，話をしに私の事務所に立ち寄っていただけませんか)
• How did you **come by** these tickets?
(一体どうやってこのチケットを手に入れたの?)

♣「立ち寄る」のは，「話者」または「相手」のところ。ほかの所に行く途中で立ち寄るのは stop by (39)。

539 **come up with** | (解決策などを)思いつく

• How do you **come up with** such interesting story ideas?
(どうやってそんなにおもしろい話のアイデアを思いつくのですか)

♣ ⇒ come up (325)

540 **come across** | (人に)偶然出会う，(~を)偶然見つける

• I first **came across** him when I was in high school.
(最初に彼に会ったのは，私が高校生のときだった)
• When you **come across** words you don't know, try guessing their meanings from the context.
(知らない語に出合ったら，文脈からその意味を推測するようにしなさい)

♣ run も使うが少ない。「(~を)横切って来る」が基本の意味。
come across the street(通りを横切って来る)

541 **compete with[for]**　(～と・～を得ようと)競う・競争する

- We are **competing with** foreign companies **for** a share of the market.
  (わが社は市場シェアを外国企業と競い合っています)

♣ compete to do「～しようと競争する」の形もある。

動詞句 ③

542 **consult with**　(～と)相談[協議]する

- Let me **consult with** my superiors about this matter.
  (この件については上司に相談させてください)

♣ talk to[with] (15) や discuss のかたい言い方。「〈専門家(医者・弁護士など)〉に相談する」の場合はconsult Aとする。《米》でconsult withを使うこともあるが, TOEICの公式問題では見かけない。　⇒ look ~ up (358), see a doctor (398)

543 **count** A **in[out]**　〈人〉を(活動などの)仲間に入れる[入れない・外す]

- If you need any help with the work, **count** me **in**.
  (もしその仕事に手伝いが必要なら, 私を加えてください)
- I am sorry, but **count** me **out**.— OK. I'll try to find somebody else to do it.(ごめん, 私は外して — いいよ。誰かほかにやる人を探すから)

♣ ⇒ count on[upon] (742)

544 **cut ~ off**　(人(の話・電話)を)さえぎる[切る], (供給などを)断つ,《be cut off で》(人・場所などが)孤立する

- Please, don't **cut** me **off**. I'm making my statement.
  (どうかさえぎらないでください。私が発言しているのですから)
- **cut off** the electricity supply(電気の供給を断つ)
- In winter, the area is often **cut off** by snow.
  (冬になるとその地域はしばしば雪に閉ざされる)

♣「(～を)切り離す」が基本の意味。cut off A from B「AをBから切り離す」。日常の会話では「友だち・親子関係を断つ」の意味でもよく使う。

545 **deal in**　(商品を)扱う[商う]

- We are **dealing in** imported handbags and accessories.
  (私どもは輸入ハンドバッグとアクセサリーを取り扱っております)

♣ ⇒ deal with (155)

546 **direct** A **to** B　〈人〉に〈場所〉への**道を教える**(= tell A the way to B)

- Excuse me, could you **direct** me **to** the exit, please?
  (すみません，出口を教えてくださいませんか)

♣ direct A to do「〈人〉に～するように指図する」

547 **do well**　(学校・仕事などで)**順調である**，(健康が)**回復している**

- Just wanted to let you know that I'm **doing well**.
  (私が元気でやっていることをお伝えしたくて(お手紙を書きました))
- She is **doing well** after heart surgery.
  (彼女は心臓の手術後，順調に回復している)

♣ 進行形(doing well)にすることが多い。go well は「うまくいく」の意味。

548 **draw ~ up**　(文書などを)**作成する**，《draw up で》(車が)**止まる**

- I would advise you to talk to an attorney and have them **draw up** a contract.
  (弁護士に相談して，契約書を作成してもらうことをお勧めします)
- A big car **drew up** in front of the house.
  (大型車が家の正面に止まった)

549 **drop out (of)**　(～から)**抜ける[手を引く]**，(学校を)**中途退学する**

- He announced that he was going to **drop out of** the election.
  (彼は選挙から手を引くと発表した)
- **drop out of** college and get a job
  (大学を中途退学して就職する)

550 **fall asleep**　**眠り込む，寝入る**

- He had **fallen asleep** in front of the TV.
  (彼はテレビの前で眠ってしまった)

♣ 無意識のうちに眠ってしまうこと。

551 **fill ~ up**　〔ガソリンスタンドで〕(車を)**満タンにする**，(容器などを…で)**満たす**(with)

- **Fill** it **up**, please.(満タンにお願いします)
- **Fill** the bottles **up** with water.
  (びんに水をいっぱいに入れなさい)

100 200 300 400 500 600 700 800 900

動詞句④

552 get ~ across
(話などを…に)**理解させる**(to)

- Parents must **get** the idea **across** to their children that "I always love you, but sometimes I do not love your behavior."
  (親は子どもに「いつもあなたのことを愛しているけれど，あなたのふるまいが好きになれないことがある」という考えを理解させるべきだ)

♣「(向こう側へ)渡る」が基本の意味。もちろん，この意味でもよく使う。
get across the river (川を渡る)

553 give ~ out
〔不特定の人に〕(物・情報などを)**配る・渡す**，(物・力などが)**尽きる**

- Don't **give out** personal information online, *such as* telephone numbers, addresses, and names.
  (電話番号や住所，氏名など個人情報をオンライン上に流さないようにしなさい) ➲(106)
- Her energy **gave out** and she collapsed on the spot.
  (彼女は力尽きて，その場に崩れるように倒れた) ▸ on the spot「その場に」

♣ ⇒ hand ~ out (162)

554 go far
(人が)**成功[出世]する**，《否定文で》(金・物などが)**十分で(ない)**

- You won't **go far** if you don't study. (勉強しなかったら出世しないよ)
- A hundred dollars doesn't **go far** in a city like Los Angeles.
  (100 ドルはロサンゼルスのような街では十分な価値はない)

♣「遠くへ行く」が基本の意味。比喩的に使うことが多い。

555 go off
(~(するため)に)**出かける**(to, to do)，(電気などが)**切れる[止まる]**，(目覚ましなどが)**鳴り出す**

- My parents **went off** to a party. (両親はパーティーに出かけた)
- The electricity **went off** suddenly. (電気が突然切れた)
- The alarm was set to **go off** at 5:00 a.m.
  (目覚ましは午前 5 時に鳴るようにセットされた)

556 head for
(場所・状況へ)〔まっすぐ〕**向かう**

- Thousands of people **headed for** California by wagon train.
  (何千という人々が，幌馬車隊でカリフォルニアへ向かった)

♣ be heading for や be headed for〔他動詞の受け身形〕の形で使うことも多い。
⇒ make for (770)

557 **hesitate to** do

（～するのを）ためらう

- I **hesitate to** say this, but ....
  （言いにくいことなのですが，…）
- If you need anything else, please don't **hesitate to** call.
  （何かほかに必要なものがあれば，遠慮なくお電話ください）

♣ don't hesitate to do の形でよく使う（TOEIC ではほぼ 100%）。

558 **hold on**

（電話などで）少しの間待つ，
（～に）しっかりつかまる・（～を）手放さないでいる（to）

- Can you **hold on** a moment? I have another call.
  （ちょっと待っていただけますか。もう一本電話が入りました）
- Be sure to **hold on** to your tour ticket.
  （ツアーチケットは必ず持っていてください）

♣ 比喩的に「（考え・夢など）を（しっかり）持ち続ける」の意味もある。
hold on to one's idea[dream]（自分の考え［夢］を持ち続ける）

559 **hurry up**

急ぐ，《hurry ~ up で》（人・事を）急がせる

- **Hurry up**, or we'll *be late for* the show.
  （急いで，でないとショーに遅れてしまうよ） ➲(212)
- **Hurry** them **up** so we can leave.
  （出発できるように彼らを急がせなさい）

♣ ⇒ (be) in a hurry (207)

560 **inform** A **of**[**about**]

〈人〉に（～を）知らせる

- Please **inform** me **of** the shipping schedule.
  （出荷予定をお知らせください）

♣ inform A (that) の形もある。 改まった言い方で，ビジネスレターなどでよく使う。

561 **inquire about**

（～について）たずねる

- To *place an order* or **inquire about** our products, please e-mail us at orders@green.com.
  （私どもの製品のご注文とお問い合わせは，orders@green.com までＥメールをお送りください） ➲(47)

♣ inquire A of B「〈A〉について〈人〉にたずねる」のほか，inquire wh- の形もある。

動詞句 ⑤

562 invest (A) in
(〜に)(〈金〉を)投資する

- I have **invested in** the Internet business.
  (私はインターネット・ビジネスに投資した)
- How much money have you **invested in** the property?
  (君は不動産にどのくらいの金額をつぎ込んだの?)

563 keep (A) away (from B)
(〈B〉に)近寄らない・離れている, (〈A〉を)近づけない, 〈A〉を〈B〉に近づけない

- **Keep away from** the area.(その地域には近づかないように)
- An apple a day **keeps** the doctor **away**.
  (1日1個のリンゴは医者を近づけない[医者いらず])〔ことわざ〕
- **Keep** the medicine box **away from** your child.
  (薬箱を子どもの手の届かぬ所に置きなさい)

564 keep up with
(速度・情勢などに)遅れずについていく

- Our information systems can give you the power to **keep up with** the speed of business.
  (当社の情報システムは貴社にビジネスのスピードに遅れをとることのない力をご提供できます)

♣ keep pace with も同義。 ⇒ catch up (320), keep ~ up (131)

565 leave ~ out
(〜を…から)除外する・抜かす(of) (= omit)

- This must be a misprint. They **left out** the telephone number.
  (これはミスプリントに違いない。電話番号が抜けている)
- The information was **left out** of the database by mistake.
  (その情報は誤ってデータベースから除かれてしまった)

♣「外に出しておく」が基本の意味。 この意味で使われることも多い。
⇒ leave (~) off (764)

566 look through
(書類などに)目を通す, (〜を)〔詳しく〕調べる

- **Look through** our list of new fall releases.
  (秋の新作リストに目を通してください)
- Auditors were **looking through** the company's financial records.
  (会計検査官は会社の財務記録を詳しく調べていた)

♣ 基本の意味「(窓・レンズなどを)通して見る」でもよく使う。 ⇒ look ~ over (357)

567 look up to

(～を)**尊敬する**
(= respect) (⇔ look down on「見下す」)

- All my life I **looked up to** him and I wanted to be like him.
  (私はずっと彼を尊敬し，彼のようになりたいと思っていた)

♣ ⇒ look ~ up (358)

568 owe A to B

〈恩・成功など〉を〈人〉に**負っている**,
〈金額〉を〈人〉に**借りている**

- Thanks Louise. I **owe** this success all **to** you.
  (ありがとう，ルイス。この成功はすべて君のおかげだ)
- The country **owes** a lot of money **to** China.
  (その国は中国に多額の借金をしている)

♣ owe B A「〈人〉に(～を)負っている・借りている」の形もある(B が代名詞など短い語句の場合)。IOU は「借用書」の意味で，I owe you. を略記したもの。How much do I owe you?((代金は)おいくらですか)は店で料金をたずねる表現。

569 occur to

〔考えが〕(人の)**心に浮かぶ**

- It never **occurred to** me that she was Brian's mother.
  (彼女がブライアンの母親だなんて思いもしなかった)

♣「考え」などが主語になる。 主語を it にして it occurs to A to do や it occurs to A that の形にすることも多い。

570 pass by

(～の)**そばを通り過ぎる**

- He **passed by** the guards, unnoticed.
  (彼はガードマンに気づかれずにそばを通り過ぎた)

♣ passerby で「通りがかりの人」。pass A で「〔議会などが〕〈法案など〉を通過させる」の意味がある。 これを受け身形にすると be passed by の形になる。 時事英語では非常によく使う。
The bill was passed by the Lower House.(その法案は下院を通過した)

571 pay ~ off

(借金を全額)**返済する**,
(事が)**成果をあげる[元が取れる]**

- **pay off** the debt[loan](借金を完済する)
- The debt was **paid off** in six months.
  (その負債は 6 カ月で全額返済された)
- All the hard work and effort has **paid off**.
  (あらゆる努力が報われた)

動詞句⑥

572 present A with B
〈人〉に〈賞・贈り物など〉を贈る・贈呈する

- A little girl approached the stage and **presented** the singer **with** flowers.
  (小さな女の子が舞台に近づき，その歌手に花束を贈った)

♣ 正式な場で「贈呈する」という意味。present B to A の形もある。友だちに「プレゼントを贈る」というときは give を使い，give A B[B to A] とする。

573 pull ~ out
(~を)引き抜く・取り出す，《pull out で》(~から)抜ける[手を引く] (of)

- I think I need to have this tooth **pulled out**.
  (この歯は抜いてもらわないといけないと思う)
- The U.S. has **pulled out** of the Kyoto Protocol.
  (米国は京都議定書から脱退した)

574 put ~ away
(~を)片付ける[しまう]

- Please **put** your toys **away**!
  (おもちゃを片付けてちょうだい！)

575 put ~ together
(~を)組み立てる(= assemble)，(考え・本などを)まとめる，《比較級の文で》合わせた(もの)

- You can **put together** the exercise machine *by yourself*.
  (このエクササイズ・マシンは自分で組み立てられます) ➡(246)
- Right now I'm **putting together** a book about Japanese comics.
  (今，日本のコミックに関する本をまとめているところです)
- Bill Gates is richer than all the African countries **put together**.
  (ビル・ゲイツはアフリカの国々すべてを合わせたよりも裕福だ)

576 read ~ over[through]
(文書などを)〔注意して・最初から最後まで〕読む

- Take some time to **read** the contract **through**.
  (時間をかけて契約書をすみずみまで読んでください)

♣ check ~ over[through] は「(物・場所などを)〔詳しく〕調べる」で，「文書」以外に広く使える。 ⇒ go through (342)

577	**respond to**	(手紙・質問などに)**返答する・応答する**

- We will **respond to** these requests within 24 hours.
  (これらのリクエストには 24 時間以内にお答えいたします)

♣ answer のかたい言い方。

578	**run out (of)**	(期限が)**切れる**, (~を)**使い果たす**

- I'm *afraid* the guarantee has already **run out**.
  (恐れ入りますが, その保証はすでに期限が切れております) ➲(202)
- I'm sorry, but we've **run out of** time.
  (すみません, 時間切れです)

♣ ⇒ be[fall] short of (217)

579	**sell (~) out**	〔製品・チケットなどが〕**売り切れる**, 〔店などが〕(~を)**売り切る**

- Tickets for the game have already **sold out**.
  (その試合のチケットはもう売り切れです)
- The City Orchestra has **sold out** its tickets for this year's concert.
  (シティ・オーケストラは今年のすべてのコンサートを完売した)

♣ be sold out (218) は have sold out とほぼ同義になる。

580	**set out**	《set ~ out で》(~を)**並べる・展示する**, **~し始める**(to do), (旅などに)**出発する**(for, on)

- **Set out** the flowerpots on the veranda.
  (ベランダに植木鉢を並べなさい)
- So, when did you **set out** to write a thriller?
  (それで, あなたはいつスリラー(小説)を書き始めたのですか)
- Now let's **set out** on a journey!
  (さあ旅に出かけよう!)

♣「(職業・事業などに)船出する」のように, 比喩的にも使う。

581	**shop around**	〔どれを買うか決める前に〕(~を)**見て回る**(for)

- When buying a cell phone, you should **shop around** and compare the offers from different providers.
  (携帯電話を買うときには, 見て回っていろいろなプロバイダーの提示(価格)を比較することです)

動詞句 ⑦

582	**show** A **around**	〈人〉を案内して回る

- I will **show** you **around** this new facility.
  （この新しい施設をご案内しましょう）

583	**show up**	〔人が〕（会合などに）出る・顔を見せる（for, at）,〔物が〕現れる └（= appear）

- How many people **showed up** for the conference?
  （会議には何人が顔を出しましたか）
- Pop-up ads **show up** in windows while you are browsing the Internet.
  （インターネットを閲覧しているとウィンドウにポップアップ広告が表示される）

584	**shut** (~) **down**	（工場・場所などを）閉鎖する［（~が）閉鎖される］,（機械などを）停止させる［（~が）停止する］

- The airport was **shut down** for nearly five hours due to the power outage.（停電のため空港は 5 時間近く閉鎖された）
- Close all applications before **shutting down** your computer.
  （コンピューターを切る前にすべてのアプリケーションを終了してください）

585	**slow** (~) **down**	（~の）速度を落とす・（速度が）落ちる

- I **slowed down** the car to about 20 miles per hour.
  （車の速度を時速約 20 マイルに落とした）
- The world's economic growth will **slow down** this year.
  （今年の世界の経済成長は減速するだろう）

586	**spend** A **on** B	〈金額〉を〈商品〉に使う,〈時間〉を〈事〉に使う

- Americans **spent** about $4 billion **on** herbal supplements last year.
  （アメリカ人は昨年約 40 億ドルをハーブ系栄養補助食品に費やした）
- How many hours a day do you **spend on** the Internet?
  （1 日に何時間インターネットに使いますか）

♣「~することに〈時間〉を使う」は spend time (in) doing（in はふつう省略する）。

587	**start off**	（~を…で）始める（by doing）

- The speaker **started off** by introducing herself.
  （講演者はまず自己紹介から始めた）

588 

suffer from

(病気などで)苦しむ・悩む

- Millions of people are **suffering from** persistent back pain.
  (何百万人もの人々が慢性的な腰痛に苦しんでいる)

♣ from の後には病名や症状がくる。suffer damage「損害をこうむる」のように,「損害」や「負傷」などの名詞を直接 suffer に続ける用法もある。

589 

subscribe to

(新聞・雑誌などを)予約購読する

- I would like to **subscribe to** "Children's Magazine" for one year.
  (『チルドレンズ・マガジン』を1年間予約購読いたします)

♣ subscribe は「署名する」が元の意味。 申込書に署名するところから「予約」の意味が出てくる。

590 

supply A with B

〈A〉に〈B〉を供給[支給]する

- The company **supplies** restaurants **with** uniforms and tablecloths.
  (その会社はレストランにユニフォームやテーブルクロスを供給している)

♣ 供給するものを先に出して, supply B to[for] A とすることもできる。
The company supplies beauty products to several major stores.
(その会社は複数の大手店舗に美容品を供給している)

591 

take ~ apart

(~を)分解する

- This pump *is designed to* be easily **taken apart** for cleaning.
  (このポンプは清掃のために分解しやすく設計されています) ➲(67)

動詞句⑧

592 

take ~ down

(聞いたことを)〔その場で〕書き留める,
(~を)取り外す

- Let me **take down** your name and address.
  (あなたのお名前とご住所を書き留めさせてください)
- The man is **taking down** the flag.
  (その男性は旗を降ろしている)

♣ ⇒ write ~ down (185)

593 **tend to** do
(～する)傾向がある, (～)しがちである

- If we skip a meal, we lose our energy and **tend to** *lose our temper*.
(食事を抜くと, エネルギーをなくし, 怒りっぽくなりがちだ) ➲(818)

♣ be apt to do も同じ意味。

594 **throw ~ away[out]**
(不要物などを)捨てる・処分する

- Don't **throw** these boxes **away** — they could be useful.
(これらの箱は捨てないでください ― 役に立つかもしれません)

595 **try ~ out**
(人・物・計画などを)試用する・試行する, 《try out で》(チームなどに入る)テストを受ける(for)

- **Try out** our sports facilities for two days *free of charge*.
(当社のスポーツ施設を 2 日間無料でお試しください) ➲(466)
- I'm going to **try out** for the basketball team.
(私はバスケットボールチームの入団テストを受けるつもりだ)

♣ try-out「新人[入団]テスト, 試験的実施」 ⇒ try ~ on (178)

596 **wash ~ up**
〔漂流物などが〕(岸に)打ち上げられる, 〔波が〕(漂流物などを)打ち上げる

- Garbage **washed up** on the shore after the storm.
(嵐の後, 海岸にはゴミが打ち上げられていた)
- Garbage was **washed up** on the shore by the storm.
(海岸には嵐でゴミが打ち上げられていた)

♣ 2 番目の意味は受け身形で使うことが多い。

597 **wrap ~ up**
(仕事・会議などを)終わりにする

- I think we can **wrap up** this discussion now and *move on* to a new topic.
(もうこの議論は終わりにして, 新しい話題に移ってもよいと思う) ➲(359)

♣「包む・くるむ」が基本の意味。 この意味では wrap A with[in] B「〈A〉を〈B〉で[に]包む」がふつう。

動詞＋名詞

598 □□ **ask a favor of** A [**ask** A **a favor**] 〈人〉に頼み事をする

- May I **ask a favor of** you?(=May I **ask** you **a favor**?)
（お願いがあるのですが）

♣ favor は「好意, 支持」の意味。do A a favor「〈人〉のために～をする」を依頼の文にすると同義になるが, こちらのほうがストレートなニュアンス。
Will you do me a favor and ～ ?（お願いがあるのですが～）
⇒ be in favor of (623)

599 □□ **come to an end** （続いていたものが）終わる

- The World Food Summit **came to an end** on June 13.
（世界食糧首脳会議は 6 月 13 日に終わった）

♣「終わらせる」は bring A to an end [bring to an end A], あるいは put an end to A。
Let's bring this discussion to an end.（この議論を終わらせよう）

600 □□ **gain**[**put on**] **weight** 体重が増す, 太る（⇔ lose weight「やせる」）

- I've started to **gain**[**put on**] **weight**.
（体重が増え始めた）

♣ この put on は「～が増す」という意味。put on years「年をとる」 ⇒ put ~ on (10)

601 □□ **give** A **a ride** 〈人〉を車に乗せる・車で送る

- I can **give** you **a ride** anytime you need it.
（必要なときはいつでも, 車で送ってあげられますよ）

♣ drive A (to place) も同じ意味で使う。
I'll drive you home after the game.（試合の後, 家まで車で送るよ）

602 □□ **have ... in common** （～と…の）共通点がある（with）

- I think we **have** a lot **in common**.
（われわれには共通点がたくさんあると思う）
- I felt that I **had** nothing **in common** with most of the people there.
（私は自分がそこにいる大半の人々と何の共通点もないと感じた）

♣「...」には a lot, something, little, nothing などの語が入る。TOEIC では「...」の部分を what にした形, What do A and B have in common?「A と B にはどんな共通点がありますか」という質問文が出る。

603 **keep an**[one's] **eye on** (～を)見守る・見張る

- Will you **keep an eye on** Liza while I'm gone?
  (私が出かけている間，リザのことを見ててくれる?)

♣ keep an[one's] eye out (for) も「～を監視する」。

604 **make an effort** (～しようと)努力する(to do)

- We **made** every **effort** to succeed.
  (私たちは成功するためにあらゆる努力をした)
- We must **make an** immediate **effort** to reduce costs.
  (経費削減のために即刻努力しなくてはならない)

♣ effort に形容詞がつくことが多い。また efforts とすることもある。in an effort to do は「～しようとして」〔目的〕。

605 **meet demands** [**needs**] 要求を満たす・要求に応じる

- Enet Starter *is designed to* **meet the demand** for entry-level Internet access.
  (Enet Starter は入門レベルのインターネット接続を，というご要望にお応えできるように設計されております) ➲(67)

♣ meet one's demand[needs] の形でも使う。meet は「要求・必要・条件などを満たす」の意味。meet の後には，ほかに standards「基準」, conditions「条件」, requirements「要件」, expectations「期待」, deadline「締め切り」などがよく使われる。

606 **play a role**[**part**] (～で)役割を果たす(in)

- He **played a** key **role** in the negotiations.
  (彼はその交渉で中心的役割を果たした)

♣ role[part] の前に big, important, active, vital, key などの形容詞をつけることが多い。

607 **take turns** 交替で(～をする) ((in) doing)

- We **took turns** driving and *made it* 2,000 miles in four days.
  (私たちは交替で運転をして，4 日で 2000 マイルを走破した) ➲(396)

♣ 動名詞の前の in はふつう省略する。turn は「順番」の意味。
It's your turn.(あなたの番です) ⇒ in turn (887)

be 動詞句①

608 be[**become**] **accustomed to** | (~に)慣れている[慣れる]

• In recent years, employees have **become accustomed to** remote work.
(近年，従業員はリモートワークに慣れてきた)

♣ to の後には名詞か動名詞が入る。be[get] used to (221) より改まった言い方。

609 be **associated with** | (~と)関係[関連]している・結びついている

• All technical issues **associated with** the new product have been resolved.(新製品に関する技術的な問題はすべて解決されました)

• Your account number **is associated with** your e-mail address.
(あなたのアカウント番号はあなたの E メールアドレスに結びつけられています)

♣ associate A with B「A を B に関連づける[結びつける]」の受け身形から。
associate with one は「好ましくない者と付き合う」の意味。 ⇒be related to (632)

610 be[**get**] **caught in** | (雨・交通渋滞などに)あう・つかまる

• The two ocean liners **were caught in** heavy fog, and collided with each other.(2 隻の海洋客船が濃霧にあい，衝突した)

♣「(好ましくない状況に)つかまる」という意味。 ⇒ be[get] involved in (627)

611 be **concerned with** | (~に)関係している，(~に)関心を持つ

• The company **is concerned with** online security.
(その会社はオンライン・セキュリティーにかかわっている)

• We should **be** much more **concerned with** the water issue.
(われわれは水の問題にもっとずっと関心を持つべきだ)

♣ with のほかに「関係している」には in,「関心を持つ」には about も使う。
⇒ be concerned about[for] (54)

612 be **conscious of** | (~に)気づいている，(~を)知っている (= be aware of (61))

• Whether **conscious of** it or not, business people spend over half their time negotiating.
(そのことに気づいていようがいまいが，仕事に就いている人は自分たちの時間の半分以上を交渉に費やしている)

♣ 上の文では whether の後の business people are が省略されている。be conscious that の形もある。また be conscious of the fact that という強調形もよく使う。

613 **be curious about** (〜に)好奇心を持っている

- If you **are curious about** the potential of this medicine, please visit www.abc-pharmacy.com.
  (この薬の可能性に興味がありましたら，www.abc-pharmacy.com をおたずねください)

♣ be curious to do「〜したくてしかたがない」

614 **be delighted with[at]** (〜を)とてもうれしく思う・喜んでいる

- We **are** absolutely **delighted with** the results.
  (私たちはその結果をとても喜んでいます)

♣ be pleased with (53) よりも強い喜びの感情を表す。to do や that の形も多い。特に《フォーマル》な通知文で delighted to report that や delighted to announce that がよく使われる。

615 **be eager for[to** do] (〜(すること)を)熱望している

- Everyone **is eager for** peace in the world.
  (誰もが世界平和を切に望んでいる)
- We **are eager to** help you enjoy your stay in Arizona.
  (私たちはあなたのアリゾナでの滞在が楽しいものとなるようお手伝いすることを心から望んでおります)

♣ be eager for A to do「A が〜することを熱望する」のようにも使う。

616 **be equal to** 〔数・量・価値が〕(〜に)等しい[相当する]，(問題・仕事に対応する)能力がある

- The energy (E) in a mass (m) **is equal to** the mass (m) multiplied by the square of the speed of light (c^2).〔$E = mc^2$〕
  (質量の中のエネルギーは質量に光速の 2 乗を掛けたものに等しい)
- I'm sure he**'s equal to** the task.(彼はその仕事に対応できると確信しています)

♣ ⇒ up to (90)

617 **be equipped with** (〜が)装備されている，(技術などを)身につけた

- Our plants **are equipped with** a fully automated production system.
  (わが社の工場は完全に自動化された生産システムが装備されています)
- The Training Center staff **is equipped with** the knowledge to instruct individuals of all levels.
  (トレーニングセンターのスタッフはあらゆるレベルの人たちを指導する知識を身につけている)

♣ be equipped for は「〜のための設備がある」。

be 動詞句②

618 be **familiar to** 〔物・事が〕(人に)見[聞き]覚えのある

- His name sounds **familiar to** me. Is he a writer?
  (彼の名前には聞き覚えがある。作家ですか)

♣ ⇒ be familiar with (205)

619 be **followed by** (～が)あとに続く

- The speech will **be followed by** music and a complimentary buffet lunch. ▸ complimentary「無料の」
  (スピーチの後には音楽と無料のビュッフェ・ランチが続きます)

♣ 次の文は TOEIC Part 7 の指示文の一部。
Each text or set of texts is followed by several questions.
(各テキスト, またはテキストのセットにはいくつかの質問が続きます)

620 be **forced to** do (～することを)強いられる, (～)せざるを得ない

- Area residents **were forced to** evacuate *due to* the toxic fumes.
  (地域の居住者は, 有毒ガスのために避難させられた) ➲(74)
- The museum may **be forced to** close *due to* lack of funds.
  (美術館は資金不足のため閉館を余儀なくされるかもしれない)

♣ be forced into doing の形もある。 ⇒ **be obliged to do** (845)

621 be **free from[of]** (～)がない, (～を)含まない

- Hardly anyone **is free from[of]** some kind of prejudice.
  (なんらかの偏見を持たない人はほとんどいない)
- All our drinks **are free from** artificial colorings and flavorings.
  (わが社のすべての飲料は人工着色料や人工香味料を含みません)

♣ あとには好ましくないこと(危険, 苦痛, 義務, 束縛など)を表す語がくる。
⇒ free of charge (466)

100 200 300 400 500 600 700 800 900

622 **be grateful for** (~を)感謝している・ありがたく思う

- I **am grateful for** the opportunity to talk to you today.
  (今日あなたとお話しできる機会を得られてうれしく思います)
- The author **is grateful** to the following people **for** their advice:
  (筆者は次の方々の助言に感謝申し上げます)〔著者のまえがきの謝辞〕

♣ 2 番目の例のように grateful の後に to A「〈人〉に」を入れて感謝する対象を示す。I would be grateful if you would [could] ... はていねいな依頼の表現。ビジネス手紙文でよく使う。

623 **be in favor of** (~に)賛成である(⇔ be opposed to (630))

- All (those) **in favor of** a trip to Hawaii, raise your hand.
  (ハワイへの旅行に賛成の人は手を挙げて)

♣ All (those) opposed ...?「反対の人は?」と続けることもある。
⇒ ask a favor of A [ask A a favor] (598)

624 **be in good health** 健康である

- My father **is in good health** at age 88.
  (父は 88 歳で大変健康です)

♣ good のほかに perfect, excellent, sound なども使う。健康でない場合は be in bad[poor, ill] health「具合が悪い[体調が悪い, 病気である]」などとする。

625 **be in need of** (~を)必要としている

- If so, he'**s in need of** immediate medical attention.
  (もしそうなら, 彼は早急に治療を受ける必要がある)

626 **be in use** 使われている, 使用中である(⇔ be out of use)

- Computers **were in use** as far back as the 1940s.
  (コンピューターは 1940 年代には使われていた)
- All the copiers **are in use**. Could you come back later?
  (コピー機はすべて使用中です。後でまた来ていただけますか)

♣ come into use で「使われるようになる」。
When did the word first come into use?
(この言葉が最初に使われるようになったのはいつですか)

627 **be[get] involved in** | (事故などに)巻き込まれる, (活動などに)参加する(= take part in (199))

- Keith **was involved in** a major auto accident early Thursday morning.
  (キースは木曜日の早朝，重大な自動車事故に巻き込まれた)
- I would suggest you don't **get involved in** this.
  (これにはかかわらないほうがいいでしょう)

be 動詞句③

628  be **on the phone** | 電話に出ている

- She'**s on the phone** right now.
  (彼女はただ今電話中です)

♣ talk on the phone で「電話で話す」, answer the phone は「電話に出る」。
⇒ give A a call (119)

629  be **open to** | (~に対して)開かれている, (~を受け入れる)用意[余地]がある

- The Wildflower Gardens will **be open to** the public beginning April 1.
  (ワイルドフラワー・ガーデンズは 4 月 1 日から一般公開されます)
- We **are open to** any suggestions.
  (私たちは，どんな提案でも歓迎します)

630  be **opposed to** | (~に)反対である(⇔ be in favor of (623))

- Residents of this region **are opposed to** the construction of the chemical factory.
  (この地域の住民は化学工場の建設に反対している)

♣ to は前置詞なので「~することに反対である」というときは be opposed to doing とする。「反対する」という動作には，動詞の oppose を使う。

631  be **promoted to** | (~に)昇進する

- I just heard that you have **been promoted to** manager of the Sales Department. Congratulations!
  (あなたが営業部の部長に昇進されたと聞いたところです。おめでとうございます！)

632 be **related to**

(～と)関係[関連]している,
(～と)親戚関係にある

- Sunbathing **is** directly **related to** skin cancer.
  (日光浴は皮膚がんに直接関係がある)
- He **is** distantly **related to** her.
  (彼は彼女と遠い親戚関係にある)

♣ be associated with (609) と同義。related は直接的な関係[関連]を言うが, associated は幅広い関係[関係]に使える。

633 be **stuck in**

(～にはまりこんで)動けない・行き詰まっている

- An accident blocked the road, and I **was stuck in** traffic for an hour.
  (事故で道がふさがれ, 1時間も渋滞で動けなかった)

♣ be stuck for は「(言葉・答えなどに)窮する」。
be stuck for an answer(答えに窮する)

634 be **suitable for**

(～に)適している・ふさわしい

- This class **is suitable for** participants of all ages.
  (このクラスはあらゆる年齢の参加者に適しています)

635 be **suited for[to]**

(～に)適している・最適である

- He'**s** ideally **suited for** this role because he's both enthusiastic and friendly.
  (熱意と親しみやすさを持つ彼はこの役割にうってつけだ)
- His speech **was suited to** the occasion.
  (彼のスピーチはその場にふさわしいものだった)

♣ well, best, ideally などを suited の前に置くことが多い。

TOEIC テスト　頻出連語⑥

★は最頻出連語 TOP 50

■ 技術・製造・調査

research and development （研究開発〔R&D〕）
cutting-edge technology （先端技術）
computer software （コンピューターソフト）
virtual reality （バーチャルリアリティ，仮想現実）
genetically modified (food) （遺伝子組み換え（食品））
assembly line★ （組立ライン）
field test （実地試験）
field trip （実地研修，見学旅行）
market research★ （市場調査）
focus group★ （調査の対象グループ）

■ 計画・設計図

business plan （経営[事業]計画）
game plan （行動方針，戦略）
action plan （行動計画）
work plan （作業計画）
contingency plan （緊急時[防災]計画）
floor plan （間取図，床面図）
ground plan （平面図，基本計画）

■ 予定

tentative schedule （仮スケジュール）
previous[prior] engagement （先約）
schedule[scheduling] conflict （予定がかち合うこと）

■ 公共施設・学校

fire station （消防署）
parking lot★ （駐車場）
business school （ビジネススクール）
culinary school （料理学校）

前置詞句・副詞句①

636	**all the same**	それにもかかわらず(= in spite of, nevertheless)

- **All the same**, I will wait a few more days.
  (それでもやはり，もう2，3日待ってみます)
- Thank you **all the same**.
  (とにかく，ありがとう)

♣ 文の最初か最後に使う。2 番目の例は何かを辞退したときの表現。just the same も同じ意味。

637	**along the way**	途中で，その過程で

- We can take the path through the park and enjoy nature **along the way**.
  (公園内の小道を通り，その途中で自然を楽しむことができます)

♣ on the[one's] way (487) と同義。

638	**as ... as ever**	相変わらず…

- He's 90 years old, but his mental powers are **as** strong **as ever**.
  (彼は 90 歳だが精神力は相変わらず強い)

♣ as ever で「相変わらず」の意味。
As ever, he was late.(相変わらず，彼は遅刻した)

639	**as a (general) rule**	概して，通例は(= generally)

- **As a rule**, I stay up late.
  (ふつう遅くまで起きています)　▶ stay up「(夜ふかしして)起きている」
- **As a general rule**, the most successful man in life is the man who has the best information. — Benjamin Disraeli
  (一般に人生で最も成功する人は最良の情報を持っている人だ — ベンジャミン・ディズレーリ)

640	**as a whole**	全体として(の)

- The campaign **as a whole** was successful.
  (キャンペーンは全体として成功だった)

♣ ふつう名詞の後に置く。　⇒ in general (259), on the whole (486)

641 
as far as A is concerned
〈人〉(の意見・立場)としては, 〈事〉に関して[関連して]言えば

• **As far as** I'm **concerned**, there's nothing left to say.
(私としてはもう申し上げることはありません)
• **As far as** sales **are concerned**, we are doing quite well.
(売り上げに関しては, かなり順調だ)

♣ ⇒ as[so] far as (291)

642 
as for
(~について)言えば(= concerning)

• **As for** the keys, please pick them up at the real estate office.
(カギについては, 不動産事務所に取りに行ってください)

♣ ふつう文頭に置く。前のことに関連して別のことを話題にするときに使う。
⇒ with[in] regard to (705)

643 
as yet
今までのところ, まだ(ない)(= so far)

• **As yet**, I have not had time to consider your proposal.
(今までのところ, あなたの提案を検討する時間がありませんでした)

♣ 否定の意味で使う。

644 
at a distance
離れて・距離を置いて, (距離・時間を)離れて[隔てて](of)

• **At a distance**, the rock looks just like a man's head.
(離れて見るとその岩はちょうど人の頭部のように見える)
• The Earth's surface is **at a distance** of 4,000 miles from its center.
(地球の表面は, その中心から 4000 マイル離れている)

♣ from a distance「離れた所から」 ⇒ in the distance (680)

645
at a glance
一目で, すぐに(= at once (240))

• You can see **at a glance** that actual sales were well below projections.
(実売上げが見積りよりかなり低いことが一目で分かります)

♣ give [take, cast, throw] a glance at「~をちらっと見る」(= glance at)

前置詞句・副詞句②

646 

at any rate | (それはさておき)とにかく(= anyway), 少なくとも(確かなのは)

- **At any rate**, I want to thank you for your help.
  (何はともあれ, ご助力に感謝します)
- The scenario I just outlined for you is fiction — for now, **at any rate**.
  (今あなたに要点を説明したシナリオ(計画の筋書)はフィクションです — 少なくとも今のところは)

647 

at best | よくても, せいぜい (⇔ at worst「悪くても, 最悪では」)

- His structural reform policy is unrealistic **at best** and harmful at worst.
  (彼の構造改革政策はよくて非現実的であり, 悪くすると有害である)

♣ ⇒ at (the) most (857), at least (71)

648 

at first sight[glance] | 一目見て, 一見したところでは

- He said it was love **at first sight**.(彼はそれは一目ぼれだと言った)
- **At first sight**, the proposal seemed interesting. However ....
  (一見したところ, その提案はおもしろそうだった。しかし…)

649 

at present | 現在は, 今のところは

- **At present** there are 27 missing, but the number is expected to increase.
  (今のところ 27 人が行方不明だが, その数は増加すると懸念される)

♣《フォーマル》な文で使う。at the moment (241) が同義。

650 

at random | 手あたり次第に, 無作為に(= randomly)

- He walked over to the comic books and picked one up **at random**.
  (彼はコミックコーナーのほうに歩いて行き, 無作為に 1 冊を手にとった)

651

at the last minute | どたん場で, 時間ぎりぎりで

- I caught the shuttle **at the last minute**. The door closed just after I sat down.
  (私は時間ぎりぎりでシャトル便に間に合った。私が座った途端にドアが閉まった)

♣ last minute[last-minute] で「どたん場の, ぎりぎりの」の意味(apologize (to A) for (21) の例文参照)

652 back and forth　前後に, あちこちに

- The child watched the machine as it moved **back and forth**.
  (その子は機械が前後に動くのをじっと見ていた)
- The issue is still being debated **back and forth**.
  (その問題は依然として行きつ戻りつ議論されている)

♣ to and fro「行ったり来たり」も同じような意味。

653 before long　まもなく(= soon)

- **Before long** you will begin to realize that this tiny baby, will *take up* much of your time.
  (まもなく, 小さいこの赤ちゃんが, あなたの時間の多くを取ってしまうことに気づき始めるでしょう) ➲(144)

654 by all means　いいですとも(どうぞ)〔ていねいな許可〕, ぜひ(とも), 必ず

- Would you excuse us? I need to speak to Vanessa *in private*.
  — **By all means**. ➲(877)
  (ちょっといいですか。ヴァネッサと個人的に話す必要があるんですが — いいですよ)
- Shall I carve the turkey? — **By all means**.
  (七面鳥の肉を切り分けましょうか — ぜひ, お願いします)
- **By all means**, let's *sign up for* the race.
  (そのレースには絶対参加登録をしよう) ➲(38)

655 by far　《比較級・最上級を強めて》はるかに, ずっと

- She said, "This is **by far** the best I have skated in several years."
  (「今回は数年の滑りの中で断然最高です」と彼女は言った)

前置詞句・副詞句③

656 by nature ｜ 生まれつき

- She's easy going **by nature**.
（彼女は生まれつきのんびり屋なの）

♣ この nature は「自然」ではなく「性質・本性」の意味。 by its[their] very nature「その性質から言って，本質的に」という言い方もある。
Discussion is by its very nature unpredictable. — Steven Brookfield
（討論は本質的に予測できないものだ — スティーブン・ブルックフィールド）

657 by way of ｜ ～経由で（= via），（～の１つ[代わり]）として，（～の手段）によって

- We flew to Delhi **by way of** London.
（私たちはロンドン経由でデリーに飛んだ）
- I would like to say a few words **by way of** introduction.
（ご紹介代わりに一言申し上げたいと思います）
- The lowest prices can only be achieved **by way of** competition.
（最低価格は競争によってのみ達成される）

♣ By Way of Introduction「まえがき（として）」〔まえがきの見出し〕

658 for good ｜ 永久に（= forever）

- Tomorrow I will leave this town **for good**.
（明日私はこの町を永遠に去ります）

659 for nothing ｜ 無料で・ただで，無駄に

- Nobody ever gave me anything **for nothing**.
（これまで私にただで何かをくれた人は一人もいなかった）
- What I have done is all **for nothing**.
（私のしたことはすべて無駄になった）

♣ for free (462) と異なり，「（本来は）支払うべきものを無しで」というイメージ。
⇒ in vain (684)

660 for some reason ｜ どういうわけか，よくは分からないが

- For some reason, I did not receive a confirmation e-mail from you.
（どういうわけか，あなたからの確認の E メールが届きませんでした）

♣ for any reason は「いかなる理由であれ」，for no reason (at all) は「何の理由もなく」。

661	**for the purpose of**	(〜の・〜をする)目的で(doing)

- The licensee agrees to use any technical information provided only **for the purpose of** manufacturing the licensed products.
(免許取得者は提供された技術情報を免許製品を製造する目的でのみ使うことに同意する)

♣ 契約書などに見られる形式ばった表現。ふつうは for や to do を使う。

662	**from A viewpoint [point of view]**	〈A〉の観点[視点]から(は)

- **From** my **viewpoint**, this looks like a very good choice.
(私の観点では，これはとてもよい選択のように思えます)
- **From** a beginner's **point of view**, this is a pretty good buy.
(初心者の観点からすれば，これはとてもよい買い物です)

♣ A には one's や「a +形容詞」が入る。from the viewpoint[point of view] of A とも言える。

663	**hand in hand (with)**	(〜と)手をとり合って，《go ... で》(〜と)関連を持って[一緒に]

- They walked down the street **hand in hand**.
(彼らは手をとり合って通りを歩いて行った)
- Economic prosperity must **go hand in hand** with social justice.
(経済の繁栄は社会的正義とともにあるべきだ)

♣ arm in arm は「腕を組んで」の意味。

664	**in a word**	一言で言えば，要約すると

- The food and service was, **in a word**, excellent.
(食事とサービスは一言で言えば，最高だった)

♣ ⇒ in short (882), in other words (673)

665	**in a way**	ある点[意味]で(は)(= in a sense)

- She's not sick, is she? — Well, yes, **in a way** she is.
(彼女は病気じゃないんだろう？ — いや，ある意味病気だね)

♣ この way は「点，面」の意味。
in every way「あらゆる点[面]で」, in some ways「ある点[面]で」
⇒ in the[one's] way (474)

前置詞句・副詞句④

666 in accordance with
(～に)従って，(～と)一致して

- The trademark shall be used strictly **in accordance with** the licensor's instructions.
  (商標は，認可者の指示に厳密に従って使われるものとする)

♣ 堅苦しい表現。契約文などのような《フォーマル》な文で使う。⇒ according to (69)

667 in any event[case]
いずれにしても

- **In any case**, I am going to see my lawyer about this matter.
  (いずれにしても私はこの件で弁護士に会うつもりです)

♣ ⇒ (just) in case (254)

668 in effect
実際には，
《be ～で》(規則などが)発効する・実施される (= effective)

- **In effect**, we haven't learned anything new from this report.
  (実際には，このレポートから新しく学ぶことは何もなかった)
- The following schedule changes will **be in effect** *as of* May 1.
  (以下のスケジュール変更は５月１日より実施されます) ➲(232)

669 in honor of
(～に)敬意を表して

- We are planning to hold a party **in honor of** Dr. Harris, who will retire at the end of the semester.
  (私たちはハリス先生に敬意を表してパーティーの開催を計画しています。先生は学期末に退職されるのです)

♣ it is an honor for me to do「～できることを光栄に思う」や have the honor of doing「～する栄誉を得る」は，改まったスピーチや招待状などで使う。

670 in itself[themselves]
(物・事)それ自体で(は)

- It's an education **in itself** to meet different people and learn about their ways of life.
  (いろいろな人々に出会い，彼らの生活の仕方を知ることはそれ自体教育である)

♣ 指すものが複数ならば themselves を使う。have confidence in oneself は「自信を持つ」。

671 in no time　すぐに

- I think Jake will *get over* the setback **in no time**.
  (ジェイクはすぐに挫折を克服すると思う)　➲(338)

♣ in no time at all で強調を表す。　⇒ in time (267)

672 in one's opinion　私の意見では

- **In my opinion**, the fair value is not far away from today's market price.
  (私の意見では，公正価額は今日の市場価格とかけ離れてはいない)

♣ 自分の意見を述べる前置きとして，文頭あるいは挿入的に使う。in my view も同じ意味。

673 in other words　言い換えれば，つまり

- They agreed to everything. **In other words,** there was no problem.
  (彼らはすべてに同意した。 つまり，何の問題もなかった)

♣ ⇒ that is to say (725), in a word (664)

674 in place　所定の［正しい］位置に，(体制・システムなどが)存在して［機能して］いる

- Use the masking tape to hold the piece **in place**.
  (マスキング・テープを使ってそのピースを正しい位置に固定しなさい)
- A new color-coded alert system is **in place** in the United States.
  (米国では新しいカラーコード警報システムが導入されている)

♣ in places「ところどころで」

675 in place of　(～の)代わりに

- In many Latin American and Asian countries, banana leaves are used **in place of** plates.
  (ラテンアメリカやアジアの多くの国々では，バナナの葉が皿の代わりに使われる)

♣ instead of (81) の改まった表現。in one's place の形でも使う。

前置詞句・副詞句⑤

676 in practice | 実際には(⇔ in theory「理論上は」)

- Well, I can *see how* it works in theory, but will it work **in practice**?
  (うん，それは理論上はうまく機能することは分かるよ，でも実際にはどうだろう) ➲(518)

677 in progress | (出来事・行事などが)進行中で[の]

- Economic reforms are **in progress** under the assistance of the IMF.
  (IMF の助けを借りて，経済改革は進行中である)
- There's a robbery **in progress**!(強盗です！)〔通報の言葉〕

678 in reality | 実際は(= actually)

- Lots of people think chicken is a healthy food. But **in reality**, chicken has almost *the same* concentration of cholesterol *as* beef.
  (人々の多くが鶏肉を健康的だと思っている。けれども実際には，鶏肉には牛肉とほとんど同じだけのコレステロールが含まれている) ➲(520)

♣ in fact (78) も同義。

679 in response to | (～に)応じて，(～に)答えて

- **In response to** your request, we have enclosed our latest catalogs.
  (お求めにより，最新のカタログを同封いたしました)
- **In response to** the reporter's question, the president said "I *have* no specific time *in mind*."
  (記者の質問に答えて大統領は「特定の時期については考えていない」と言った) ➲(349)

♣ ⇒ respond to (577)

680 in the distance | 遠方に(見える・聞こえる)(= far away)

- He looked out and saw a large ship **in the distance**.
  (彼が外を見ると，遠くに大きな船が見えた)

♣ ⇒ at a distance (644)

681 in the first place | そもそも，まず第一に(= first(ly))

- Why *on earth* did you do it **in the first place**?
  (そもそも，いったいなぜそんなことをしたの？) ➲(482)

- **In the first place**, I don't want to go. And I *can't afford to* go.
  (まず第一に行きたくない。そして行く余裕もない) ➲(292)

♣ 2番目の意味はポイントを列挙するときに使う。in the second (place)「第二に」と続けることもある。

682 

in the meantime	その間に，それまで（の間）(= meanwhile)

- I'll see you on Monday. **In the meantime**, if you need me, here's my telephone number.
  (月曜日にはお会いします。それまでの間，ご用がございましたら電話番号はこちらです)

683 

in the process	その過程で，《be in the process》(～している) 過程である (of doing)

- Have some fun and learn something new **in the process**.
  (楽しんで，そしてその過程で何か新しいことを学びとってください)
- The city is **in the process of** planning improvements for the downtown area.
  (市はダウンタウン地区の改善を計画しているところだ)

684 

in vain	無駄に (= uselessly)

- For months they've tried **in vain** to find a financial partner.
  (何カ月も彼らは共同出資者を探し求めたが，だめだった)

♣ ⇒ for nothing (659)

685 

in writing	文書で，書面で

- Would you please confirm **in writing** that I do not have to pay the bill?
  (私がその請求書の支払いをする必要のないことを文書でご確認いただけますか)

♣ written notice で「通知書」の意味。

前置詞句・副詞句⑥

686 

in[by] contrast	(～と) 対照して・違って (to, with)

- The overall cost decreased by 6% **in contrast** with last year.
  (総費用は昨年に比べて 6%減少した)

687 little by little
少しずつ, 徐々に (= gradually)

- There are signs that the situation is improving **little by little**.
（事態が少しずつ改善されている兆候がある）

♣「事態がよくなる, 改善される」などの肯定的な意味で使う。 この by は「～ずつ, ～ごとに」を表す。ほかに day by day「1 日ごとに」, one by one「1 つ [1 人] ずつ」, step by step (492) など。

688 more or less
多かれ少なかれ (= almost, nearly), およそ (= approximately)

- All modern cars look **more or less** the same.
（現代の車は皆多かれ少なかれ同じように見える）
- Sacramento is 80 miles east of San Francisco, **more or less**.
（サクラメントはサンフランシスコの東およそ 80 マイルです）

689 (every) now and then
ときどき (= occasionally)

- Drop me a line **now and then** while you're traveling.
（旅行中, ときどき手紙をくださいね）

♣ ⇒ (every) once in a while (433)

690 on account of
～のために〔理由〕

- The final game was *put off* until tomorrow **on account of** rain.
（決勝戦は雨天のため明日に順延された） ➲(138)

♣ because of (73) のかたい言い方。特に理由が「問題・困難」などのときに使われる。

691 on line[online]
オンラインの [で] (⇔ offline)

- I am going to buy a new car **on line**.
（オンラインで新車を購入するつもりだ）
- **online** communication（オンライン通信）

♣ get on line「インターネットにつながる [つなげる]」 ⇒ on the line (485)

692 on the air
放送中で・放送されて

- Evening Classics is **on air** from 6 to 10 p.m. Monday through Thursday.
（『イブニング・クラシックス』は月曜日から木曜日の午後 6 時から 10 時まで放送されている）

♣ on-air「実況放送[中継]の」
an on-air interview(生放送のインタビュー)

693 on the basis of
(基準・論理などに)基づいて

- **On the basis of** these results, which sector would be the best to *invest in*?
(これらの結果に基づくと，投資するにはどの分野が一番いいですか) ➲(562)

♣ on the basis (that)「…ということに基づいて」の形もある。 ⇒ on a ... basis (892)

694 on the contrary
《前の文を受けて》それどころか，それに反して

- **On the contrary**, you're the one — not me — who's going to have to solve the problem.
(それどころか，問題を解決しなければならないのは一私ではなくて一あなたですよ)

♣ to the contrary も同じ意味で使うことがあるが，ふつうは，名詞の後に置いて「それと反対の~」のように使う。
There is no evidence to the contrary.(それと反対の証拠はない)
⇒ contrary to (711)

695 on the other hand
(一方では…)また一方では~

- We expect our initial profit to be minimal; **on the other hand**, the long-term prognosis looks good.
(当初利益は最小になるだろうが，一方，長期予測はよいようだ)

♣ on the one hand ...「一方では…」の後に続けるのが基本の形。実際には例文のようにこの部分は省略されることが多い。

前置詞句・副詞句⑦

696 on[off] duty
勤務時間中[時間外]で

- Six thousand police officers were **on duty** to help keep the crowds *under control*.
(6000人の警察官が群集を抑えるのを支援する勤務についていた) ➲(702)
- I'm **off duty** now.
(今は勤務時間外です)

697 on the premises

建物[敷地]内で (⇔ off the premises「建物[敷地]外で」)

- The consumption of alcohol **on the premises** is forbidden.
  (当建物内での飲酒は禁止されています)

698 out of sight

見えない所に (⇔ within[in] sight「見える所に」)

- After only a few seconds, the silver disk had flown **out of sight**.
  (ほんの数秒後には，その銀色の円盤は飛び去って見えなくなった)
- **Out of sight**, out of mind. (去る者は日々にうとし〔ことわざ〕)

699 owing to

(～の)ために，(～が)原因で

- **Owing to** the financial squeeze, large numbers of civil servants have not been paid for months.
  (財政難のため，多くの公務員が何カ月も給与を支払われていない)

♣ because of (73) のかたい言い方。

700 sooner or later

遅かれ早かれ

- **Sooner or later**, I will have to tell her.
  (遅かれ早かれ，彼女には話さなくてはならないだろう)

♣ 日本語と語順が逆。

701 under construction

建設中で

- Our state-of-the-art facility is **under construction**.
  (わが社の最新鋭施設が建設中です)

♣ この under は「～中」の意味。

702 under control

統制[管理・支配]下に (⇔ beyond[out of] control)

- It is now thought that the virus outbreak is almost **under control**.
  (今ではそのウイルスの発生はほとんど抑えられていると思われている)

♣ この under は「～のもとに」の意味。under the control of とすると「～の管理下にある」の意味。

703  **upside down** ｜ さかさまに(の)

- turn a glass **upside down**
  (グラスを上下さかさまにする[ひっくり返す])
- That picture is **upside down**!
  (あの絵は上下さかさまだ!)

♣ turn A upside down で「(捜しものをして)〈場所〉を引っかき回す」の意味になる。
⇒ inside out (890)

704  **with ease** ｜ 容易に(= easily)

- This Meal Maker helps you bake and cook **with ease**!
  (このミール・メーカーは焼き物調理を簡単にするお手伝いをします!)

♣ この ease は「容易さ」の意味。 ⇒ at ease (859)

705  **with[in] regard to** ｜ (~に)関して(は)(= about, regarding)

- This letter is **with regard to** your unpaid balance.
  (この手紙はあなたの未払い残高に関するものです)

♣ with[in] reference to も同義。 いずれも堅苦しい言い方で,《フォーマル》なビジネス文で使う。

706  **within walking distance (of)** ｜ (~から)歩いて行ける距離に

- Does anyone know if there is a grocery store **within walking distance**?
  (歩いて行ける距離にスーパーマーケットがあるかどうか誰か知っていますか)

♣ within driving distance「車で行ける距離に」とも言う。

707  **without fail** ｜ 必ず(= surely), 間違いなく

- You must be at court **without fail** by 1:00 p.m. Tuesday.
  (火曜日の午後1時までには必ず法廷に来なくてはいけません)
- We need a communications system that operates **without fail**, 24 hours a day, seven days a week.
  (1週7日, 1日24時間, 間違いなく作動する通信システムが必要だ)

名詞句・形容詞句

708 a matter of
(~の)問題(である)

- Which is better is **a matter of** opinion.
(どちらがよいかは見解の問題だ)

♣ ⇒ as a matter of fact (853)

709 a pile of [piles of]
(積み上げられた物の)山, たくさんの~(= a lot of)

- **a pile of** books
((1つの)本の山)
- I've got **a pile of** work waiting for me on my desk.
(デスクには私を待ち受けている仕事が山積みだ)

♣「たくさんの」の意味ではくだけた言い方。

710 an array of
ずらりと並んだ~, (~の)勢ぞろい

- A complimentary breakfast is served. Enjoy **an array of** selections including eggs, fresh fruit, juice, coffee, and tea.
(無料の朝食をご用意しております。卵料理, 新鮮なフルーツ, ジュース, コーヒー, 紅茶などの品ぞろえをお楽しみください)

711 contrary to
(予想・意志などに)反して・逆らって

- **Contrary to** popular belief, most people with high blood pressure have no symptoms of the disease at all.
(一般に信じられているのに反して, ほとんどの高血圧の人はまったく病気の症状がない)

♣ ⇒ on the contrary (694)

712 the majority of
(~の)大多数(= most of)

- **The majority of** respondents selected "Excellent" when rating the quality of the product.
(回答者の大多数は, 製品の品質を評価する際に「素晴らしい」を選択した)

♣ the vast[great] majority of (= almost all of)として意味を強めることもある。反対は the minority of「~の一部[少数]」。

その他（接続表現・会話表現等）①

713 **I hate to** do ｜（～）したくはないが…・（～して）恐縮ですが

- I **hate to** bother you, but I really need some advice.
（お忙しいところ恐縮ですが，アドバイスが欲しいんです）
- I **hate to** interrupt, but it's urgent.
（お邪魔して恐縮ですが，急ぎのことなんです）

♣ 不快［残念］なことを言うときの前置きの表現。hate は「嫌う，憎む」の意味。hate to の後には say, tell, ask, trouble, interrupt, disappoint, admit など。

714 **judging by[from]** ｜（～から）判断すると

- **Judging from** the present sales record, we will make 15% more this year than last.
（現在の売り上げ記録から判断すると，今年は昨年より 15%売り上げを伸ばせるだろう）

715 **make a point of** doing ｜〔必ず〕（～すること）にしている・〔必ず〕（～する）ようにする

- We greatly value your feedback and **make a point of** putting it into practice.
（私たちは皆さまからのご意見を非常に大切にし，必ず実践しています）
- I'm taking a vacation in that area in February. I'll **make a point of** visiting him.
（2 月にその地域で休暇を取りますので，必ず彼を訪ねるようにします）

♣ make it a point to do とも言う。1 番目の例の put A into practice は「～を実行［実践］する」の意味。

716 **might[may] as well** do ｜〔どちらかというと〕（～する）ほうがよい，《you ... で》（～）したらどう〔控えめな提案〕

- We **might as well** start now.
（今すぐ始めたほうがいいよ）
- If you have so little confidence in the market, you **might as well** sell today.
（そんなに市場に確信がもてないのなら，今日売却されてはいかがですか）

♣ as well ... as ～の，後ろの as ～がなくなった形。「（～しても）…しても同じことだ」が基本の意味。　⇒ may[might, could] well be[do] (508)

717 no doubt

きっと・おそらく(= probably),
(〜は)間違いない(about)

- **No doubt**, you'll have some questions.
(おそらくあなたは質問がおありでしょう)
- (There is) **no doubt** about it.(それについては間違いない)

♣ There is [I have] no doubt (that)「…であるのは間違いない」の形でもよく使う。without question[doubt] (496) も同義で，こちらのほうが確信度が高い。

718 no less than A

〈A〉ほども多くの

- He must pay **no less than** twenty dollars.
(彼は 20 ドルも払わなくてはならない)

♣〈A〉は数量表現。その数量が多いことを強調する。as much[many] as A (505) と同義になる。
no less ... than A は「〈A〉(であること) に劣らず…,〈A〉(であると) 同様に…」。〈A〉を引き合いに出して，「それに劣らず…だ」という意味。
Our minds are no less sensitive to injury than our bodies.
(私たちの心は身体同様，傷つきやすい)
⇒ no more than A (511)

719 on (the) condition (that)

(…という)条件で，…ならば

- Information from this site can be reproduced **on condition that** the source is mentioned.
(出所を表示する条件で，このサイト上の情報は複製できます)

♣ この condition は「条件」の意味。under the condition of[that] の形もある。

720 or else

さもないと，
〔情報を追加して〕でなければ・あるいは

- Hurry up **or else** we'll miss the train.
(急がないと電車に乗り遅れるよ)
- He thinks he can't do it, **or else** he just isn't interested.
(彼は自分にはできないと思っているか，そうでなければただ興味がないだけだ)

721 other than

(〜)以外の，(〜に)加えて・(〜の)ほかに

- I'm a little tired, but, **other than** that, I feel fine.
(少し疲れているけど，それ以外は気分がいいよ)
- Did you visit any places **other than** London?
(ロンドン以外にどこか行った?)

♣「～以外の」は except for (250), apart[aside] from (231) と同義。例文のように other than that で使うことが多い。2 番目の意味でも「～以外に」と訳すことが多いが, 違いに注意。こちらは in addition (76) と同義。

722 **provided (that)** | もし…ならば, …という条件で (= if)

• **Provided** you can offer competitive prices, we will place orders with your company throughout the year.
（もし他社に負けない価格を提示してくだされば, 私どもは年間を通して御社に発注いたします）

♣ providing (that) も同じ意味で使う。

その他（接続表現・会話表現等）②

723 **so as to** do | （～する）ように, （～する）ために

• Work expands **so as to** fill the time available. — C. N. Parkinson
（仕事は許された時間いっぱいまで延びる — C･N･パーキンソン）

♣ in order to do (79) の改まった言い方。

724 **speak highly[well] of** A | 〈人〉のことをよく言う・称賛する（⇔ speak badly[ill] of「～を悪く言う, けなす」）

• Because of our excellent quality, we have been **spoken highly of** by overseas customers.
（品質のよさのおかげで, 弊社は海外のお客様から称賛されています）

725 **that is to say** | すなわち, つまり

• Generosity is to *be willing to* accept things from others, **that is to say**, to be willing to let others be generous to us.
（寛容とは他人からのものを受け入れること, つまり, 喜んで他人が私たちに寛容であることを受け入れることだ）
➲ (223)

♣ 前の文を受けて文頭に置くか, 文中で挿入的に使う。

726 **to tell you the truth** | 実を言うと, 本当のことを言うと

• **To tell you the truth**, I'd almost forgotten about it.
（実を言うと, ほとんどそのことは忘れていたんだ）

♣ 文頭や文末で独立句として使う。

727 what becomes [has become] of | (~)はどうなる

- I wondered **what became of** you.
（君がどうなったのか心配していたんだよ）
- He looks embarrassed. **What has become of** him?
（彼は困惑しているようだ。どうしたのだろう?）

♣ 心配や困惑を表す表現。

728 (and) what's more | その上, おまけに (= moreover)

- Learners' Week gives you a great opportunity to *try out* our service, **and what's more** — it's FREE.
（ラーナーズ・ウィークは私どものサービスを試すすばらしい機会を, なんと「無料」で提供いたします）

➲(595)

729 when it comes to | (~の)こと[話]となると

- You can always count on us **when it comes to** great products at reasonable prices.
（優れた製品をリーズナブルな価格でということでしたら, いつでも当社にお任せください）

♣ くだけた表現。 ⇒ come to (2)

730 will do | (物・事が)役に立つ・間に合う

- This **will do** for now.
（さしあたり, これで間に合うでしょう）
- Do you need anything else? — No. That'**ll do** it.
（何かほかに必要ですか — いいえ。それでけっこうです）

♣ "Will do." は依頼や勧誘を受け入れるときのくだけた言い方（I will do it. の短縮表現）。

731 you may[might] want to do | (~)したほうがいいでしょう〔控えめな助言〕

- **You may want to** print this page for future reference.
（このページは将来の参照のために印刷しておいたほうがいいでしょう）
- **You might want to** reconsider your decision.
（決意を考え直したほうがいいでしょう）

♣ 直訳すれば「~することを望むかもしれない」。 ここから, 婉曲に「~したほうがよい」という意味が出てくる。

TOEIC テスト　頻出連語⑦

★は最頻出連語 TOP 50

■ 会計・予算・報告(書)

fiscal year	(会計年度)
budget plan	(予算案)
annual budget	(年度予算)
department budget	(部門予算)
account book	(会計帳簿)
account balance	(勘定残高)
balance sheet	(貸借対照表)
bottom line	(最終損益)
annual report	(年報, 年次報告(書))
budget report	(予算報告(書))
accounting report	(会計報告(書))
earnings report	(収益報告(書))
expense report ★	(経費報告(書))
monthly report	(月次報告(書))
progress report	(経過報告(書))

■ 銀行・口座

bank account	(銀行預金口座)
savings account	(普通預金口座)
checking account	(当座預金口座)
account number	(口座番号)
bank balance	(預金残高)
cash machine	(現金自動預払機〔ATM〕)
credit card ★	(クレジットカード)
debit card	(デビットカード)
bank transfer	(銀行振替)

TOEIC テスト　頻出連語⑧

★は最頻出連語 TOP 50

■財政

financial statements	(決算報告書，財務諸表)
financial report	(財務報告(書))
financial figures	(財務統計)
financial records	(財務記録)
financial analysis	(財務分析)
financial condition	(財務状態)
financial deficit	(財政赤字)
financial difficulty	(財政難)
financial support	(財政援助)
financial planning	(財務計画)

■金融・証券

financial institution	(金融機関)
financial markets	(金融市場)
stock market	(株式市場，証券取引所)
stock exchange	(証券取引(所))
exchange rate	(為替相場)

■景気

economic conditions	(景気，経済状況)
consumer demand	(消費需要)
current status	(現状，現在の状態)

■保険

medical insurance	(医療保険)
car[auto] insurance	(自動車保険)
fire insurance	(火災保険)
life insurance	(生命保険)
travel insurance	(旅行保険)
insurance policy	(保険証券)

PART 5

(732-923)

TOEIC テスト 800 点超レベル頻出熟語

動詞句

動詞句 ①～⑧

動詞＋名詞 ①～②

be 動詞句 ①～②

その他の品詞句

前置詞句・副詞句 ①～⑤

名詞句・形容詞句

その他(接続表現・会話表現等)

トラック 5-1

動詞句①

732 **adhere to**	(規則などを)遵守する・(に)従う, (信念などを)守る・貫く

- The photographs can be used, provided that the following terms are **adhered to**.
  (以下の条件に従うことを条件に，写真を使用することができる)
- **adhere to** the principles(信念を守る)

♣「(物に)くっつく」が基本の意味。

733 **assign** A **to** B	〈仕事など〉を〈人〉に割り当てる, 《be assigned to で》(~に)任命される

- The manager **assigned** a different task **to** each member.
  (マネージャーは各メンバーに異なる仕事を割り当てた)
- I've been **assigned to** London recently, and I'd like to meet you if possible.
  (私は最近ロンドンに赴任いたしました。それで，できればお会いしたいのですが)

♣ assign B A「〈仕事など〉を〈人〉に割り当てる」の形もある(B が代名詞など短い語句の場合)。

734 **attach** A **to** B	〈A〉を〈B〉に取りつける・はりつける・添付する, 《be attached to で》愛着[愛情]を持つ

- Could you tell me how to **attach** the files **to** an e-mail message?
  (E メールにファイルを添付する方法を教えていただけませんか)
- Babies become strongly **attached to** the adults who take care of them.
  (赤ちゃんは自分を世話してくれる大人に強い愛着を持つようになる)

♣ attached file は「添付ファイル」, Attached is[are] .... で「添付ファイルは…です」という意味。

735 **attest to**	〔人・事が〕(真実であることを)証明する

- I can **attest to** the truth of his statement.
  (私は彼の言葉が真実であることを証明できる)
- The popularity of the treatment **attests to** its effectiveness.
  (この治療法の人気は，その有効性を証明している)

♣ prove のかたい言い方。attest that の形でも使う。

736 

attribute A **to** B 〈A〉が〈B〉に起因すると考える

- The company **attributed** the drop in earnings mainly **to** a decrease in consumer spending.
（その会社は収益の落ち込みはおもに消費者の支出の減少によるものと考えている）

737 

charge A **for** B 〈金額〉を〈物・事〉の料金［代金］として請求する

- The shop **charged** $100 **for** the repair.
（その店は修理代として100ドルを請求した）

♣ charge B to A で「〈B〉の代金を〈A（の口座など）〉の勘定［つけ］にする」という意味にもなる。
Please charge this to my credit card.（この勘定はクレジットカードでお願いします）

738 

combine (A) **with** B 〈A〉と〈B〉を組み合わせる・兼ね備える，（～と）結合する・化合する

- Our furniture **combines** old-fashioned comfort **with** a contemporary feel.
（当社の家具は，昔ながらの快適さと現代的な雰囲気を兼ね備えています）
- Carbon **combines with** oxygen to form carbon dioxide.
（炭素は酸素と化合して二酸化炭素になる）

739 

compensate A **for** B 〈人〉に〈損害など〉の賠償［補償］をする

- I *ask that* you **compensate** me **for** the lost work and time.
（あなたが私の失った仕事と時間の補償をすることを求めます） ➲(24)

♣ compensate for「（欠点・マイナスなどを）補う・埋め合わせる」

740 

comply with （要求などに）応じる，（規則などに）従う

- Unfortunately, we cannot **comply with** your request.
（残念ながらお求めにお応えすることはできません）
- **comply with** the rule（規則に従う）

♣ 形式ばった言い方。

741

conform to[**with**] （規則・習慣・型などに）従う・合う

- Our products **conform to** international safety standards.
（当社の製品は国際的な安全基準に準拠しています）

動詞句 ②

742 **count on[upon]** (～を)当てにする・期待する

- Can I **count on** you?(あなたを当てにしていい?)
- A vacancy might be available, but I wouldn't **count on** it.
  (欠員はあるかもしれないが, 私は期待はしないよ)

♣ depend on[upon] (156) や rely on[upon] (369) と同義。 ⇒ count A in[out] (543)

743 **cut back** (数・量・サイズなどを)削減[縮小]する(on) (= reduce)

- More consumers plan to **cut back** on spending during this year's holiday season.
  (より多くの消費者が今年のホリデーシーズン中の出費を減らそうとしている)〔新聞見出し〕

♣ cut down on (328) もほぼ同じ意味。cut back[down] は, 名詞を直接, 目的語にすることもある。cutback は「削減」。
Ford Motor Company cut back[down] the production of their four-wheel drive vehicles by 25%. (フォード自動車会社は四輪駆動車の生産を 25%縮小した)

744 **date back** (ある時期に)さかのぼる(to)

- The Opera House is one of the oldest in Poland, **dating back** to the 18th century.
  (オペラハウスはポーランドで最も古いものの1つで, その歴史は 18 世紀にさかのぼる)

745 **devote** A **to** B 〈時間・努力など〉を〈事〉にささげる・傾ける, 〈時間・空間など〉を〈～〉に割く・充てる

- Dr. Martin Luther King Jr. **devoted** his life **to** the movement for equal rights.
  (マーティン・ルーサー・キング・ジュニア牧師は, その生涯を権利の平等のための運動に捧げた)
- The entire chapter is **devoted to** this subject.
  (章全体がこのテーマに割かれている)

♣ devote oneself to B で「〈～〉に専念する」の意味。

746 **dispose of** (～を)処分[売却]する

- After installation, please **dispose of** the packaging in an *environmentally friendly* way.
  (設置後, 梱包材は環境に配慮した方法で処分してください) ➲(288)

♣ get rid of (339) と同義。

747 **engage in**

(～に)従事する・携わる

- After graduating from college, he **engaged in** international business.
(大学を卒業すると彼は国際ビジネスに携わった)

♣ be engaged in は「(～に)従事している・携わっている」の意味で, 状態を言う。 この engaged は形容詞。
be engaged in agriculture(農業に従事している)

748 **enroll in**

(～に)登録する

- More than 300 people have **enrolled in** the seminar on "Business Opportunities in Asia."
(『アジアにおけるビジネスチャンス』についてのセミナーに300人を超える人々が登録した)

♣ sign up (for[to do]) (38), register for (788) も同義。be enrolled in は「～に登録している」。

749 **exchange** A **for** B

〈A〉を〈B〉と交換する

- Could I **exchange** this **for** a bigger one?
(これをもっと大きいものに交換できますか)

♣ exchange A with B は「〈言葉・手紙・席など〉を〈人〉と取り交わす」の意味。

750 **expose** A **to** B

〈人・物〉を〈危険・風雨など〉にさらす

- Make sure the furniture **is** not **exposed to** direct sunlight.
(家具に直射日光が当たらないようにしてください)
- Children who have been **exposed to** different cultures are less likely to be prejudiced.
(異文化に触れてきた子どもは偏見を持ちにくい)

♣ be exposed to B の形で使うことが多い。また, 2番目の例のように比喩的にも使う。

751 **fall apart**

(物が)ばらばらになる・壊れる, (組織・計画などが)崩壊する, 《be falling apart で》(古い物が)ぼろぼろである

- The satellite **fell apart** as it was re-entering the Earth's atmosphere.
(その(人工)衛星は地球の大気圏に再突入する際にばらばらになった)
- Unless the members of a group can trust each other, the group will **fall apart**.
(グループのメンバーが互いに信頼し合えない限り, そのグループは崩壊するでしょう)
- The old building **was falling apart**.(その古い建物はぼろぼろだった)

♣ fall to pieces も「ばらばら[粉々]になる」。

動詞句 ③

752	**fill in for**	(～の)代わりを務める

- Will you **fill in for** me while I'm away?
  (私が留守の間，代わりを務めてくれますか)

♣ fill ~ out[in] (26) と混同しないよう注意。

753	**follow** (~) **up**	(～を)引き続き行う・調べる，(～を)さらに徹底させる

- I'll **follow up** with you on this issue later.
  (この問題については，後ほど調べた上でご連絡いたします)
- After you submit your job application, you should **follow** it **up** by making a phone call.
  (求職申込書を提出したら，電話をかけてフォローしなさい)

♣ follow-up は名詞・形容詞。a follow-up letter「フォローアップの手紙」

754	**finish ~ up**[**off**]	(仕事などを)仕上げる，(飲食物を)平らげる・飲み干す

- All we have to do now is **finish up** the paperwork.
  (今しなければならないのは，書類を仕上げることだ)
- They're just sitting around the table **finishing up** the pizza.
  (彼らはちょうどテーブルを囲んで，ピザを食べ終えようとしている)

755	**get through**	(困難な状況を)切り抜ける，(人に)話［電話］が通じる (to)

- I think we're **getting through** the worst of times.
  (最悪の時期は切り抜けたようだ)
- I tried to **get through** to him, but failed.
  (彼に話［電話］をしようとしたが，通じなかった)

♣「(努力して)通り抜ける」が基本の意味。上にあげたもののほかに，「(法案が)通過する」「(試験を)パスする」などの意味がある。単に「通り抜ける」は go through (342) を使う。

756	**give ~ away**	(～を)ただで与える，(好機を)逃がす，(秘密などを)漏らす

- We have thirty pairs of tickets to **give away**.
  (プレゼントとして 30 組のチケットをご用意しております)
- Don't **give away** this chance to double your income.
  (収入を倍にできるこの好機を逃さないでください)

• I won't **give away** the ending of the novel, but I confess it was a little disappointing.
(その小説の結末を漏らすつもりはないが，実を言えば，少し失望した)

757	**give way** (**to**)	(重みなどで)**折れる・壊れる**, (～に)**取ってかわられる**

• The bridge **gave way** and the cars fell into the river.
(橋が倒壊して何台かの車が川に落ちた)

• Cloudy skies will **give way to** light rain showers later tonight.
(夜半過ぎに曇り空から弱いにわか雨にかわるでしょう)

758	**identify** (A) **with** B	〈A〉を〈B〉と**関連づけて［結びつけて］考える**, 〔人が〕〈B〉に**一体感を持つ**

• She has been **identified with** the civil rights movement.
(彼女は公民権運動と関連づけて考えられてきた)

• It is easy to **identify with** the main character of the novel.
(小説の主人公になりきってしまうのは容易だ［容易になりきってしまう］)

759	**impose** A **on** B	〈義務・税金など〉を〈人・組織など〉に**課する**, 〈意見など〉を〈人〉に**押しつける**

• The government has **imposed** a new tax **on** cars.
(政府は車に新しい税を課した)

• Don't **impose** your values **on** me.
(君の価値観を私に押しつけないでくれ)

760	**insist on**[**upon**]	(～を)**要求する**，(～を)**主張する**

• Here, let me pay for it. — No, I **insist on** splitting the check.
(ここは払わせてよ―いいえ，割り勘にしましょう)

• He **insisted on** the importance of dialogue.
(彼は対話の重要性を主張した)

♣ insist (that)「…するように要求する，…であると主張する」の形もある。「要求」の意味のときは，that 節の動詞は原形を使う。
He insisted (that) the president tell the truth. (彼は大統領に真実を述べるように迫った)

761	**interfere with**	(～を)**妨げる・妨害する**

• I'm not going to **interfere with** what you're doing.
(あなたのやっていることを邪魔するつもりはありません)

♣ interfere in は「(～に)干渉する」の意味。
Don't interfere in other people's private lives. (他人の私生活に干渉してはいけない)

動詞句④

762 keep A informed [posted]
〔最新情報などを〕〈人〉に常に知らせておく

- Please **keep** me fully **informed** of any developments.
  (何か進展があったら，常にお知らせください)
- If there are any changes, I'll **keep** you **posted**.
  (もし何か変更があれば，その都度お知らせします)

♣ keep A posted のほうがくだけた言い方。

763 lay ~ out
(物を)並べる・広げる,
(~を)設計する・レイアウトする

- **Lay out** all of the parts as shown in the diagram.
  (図に示されているように，すべてのパーツを並べてください)
- The garden is **laid out** in an English style.
  (その庭園は英国式に設計されている)

♣「(考えなどを)公表[説明]する」の意味もあるが,「広げる」の比喩的用法。layout は「設計・レイアウト」。

764 leave (~) off
(~を)一時やめる, (~を)入れない・除外する
《leave A off B で》〈A〉を〈B〉に入れない・除外する

- Today we're going to *pick up* where we **left off** in the last lecture.
  (今日は，前回おしまいにした箇所から続けます) ➲(33)
- Does anyone know why these names were **left off** the list?
  (これらの名前がなぜリストから除外されたのか誰か知っていますか)

♣ ⇒ leave ~ out (565)

765 let ~ down
(人を)失望させる,
〔ロープなどを使って〕(物を)降ろす

- I assure you, I won't **let** you **down**.
  (私はあなたを失望させないと保証します)
- We **let** the boat **down** into the water and got into it.
  (私たちはボートを水面に降ろして乗り込んだ)

♣「(重力で)降ろす(下降させる)」が基本の意味。

766 let up
(雨・風・暑さなどが)やむ・弱まる

- The rain will probably **let up** later this evening.
  (おそらく雨は今日の夕方遅くにはやむだろう)

767 
live up to
（期待・約束などに）応える［かなう］行動をする

- *I'm tired of* trying to **live up to** other people's expectations.
  （他人の期待に応えようとすることにうんざりしている）　➲(220)

768 
log on[in]
（インターネットなどに）接続する（to）
（⇔ log off[out]「接続を切る」）

- To activate your card, simply **log on** to www.bookson.com and type in your card number.
  （あなたのカードを利用可能にするには，www.bookson.com に接続してカードの番号をタイプするだけです）

769 
look back
（～を）回想する（on, to, at）

- I **look back** on those years with great satisfaction and pride.
  （私はあの年月を大いなる満足と誇りを持って思い起こします）
- First, let's **look back** at last year's forecast.
  （まず最初に昨年の予想を振り返ってみよう）

♣「振り返る」が基本の意味。look back to[at] で「～を振り返る」, look ahead (to) は「（将来に）備える」。

770 
make for
（～に向けて）急ぐ・急いで行く，
（～な）結果を生み出す

- Everyone **made for** the exit as soon as the game was over.
  （試合が終わるとすぐに，誰もが出口に向かって急いだ）
- The atmosphere and delicious food **made for** a very enjoyable evening.
  （その雰囲気とおいしい料理のおかげで，とても楽しい夕べとなった）

♣ head for (556) よりも「急いで」という意味合いが強い。made for の形は, make A for B の受け身形（A is made for B）か，名詞の後置修飾（A made for B）の場合が多いので注意。
The sandwiches you made for us today were no exception.
（今日作ってくださったサンドイッチも例外ではありません［とてもおいしかった］）

771
make ~ out
《can[could] の文で》（～を）理解［判読］する，
└(= understand)
（書類などを）作成する

- I can't **make out** this handwriting.
  （私にはこの手書きの文字は判読できない）
- You are right. The check for $300 was **made out** in his hand.
  （おっしゃるとおりです。300 ドルの小切手は彼の手で作成されました）

♣「理解する」の意味では疑問文・否定文で使うことが多い。

動詞句 ⑤

772 make ~ up

(~を)作る・用意する, (~を)構成する,
《make up で》(~と)仲直りする(with)

- **make up** a list of requirements
  (必要品[条件]のリストを作成する)
- Uneaten food **makes up** fifty percent of household waste.
  (食べ残しは家庭ゴミの 50%を占める)
- I'm not ready to **make up** with him yet.
  (まだ彼と仲直りする気にはなれない)

♣「(~を)作る」の比喩的な用法で「(話を)でっち上げる」の意味がある。「(~を)構成する」の受け身形が be made up of (844)。
makeup に「化粧(品)」の意味があるが,「化粧する」の意味で make up はふつう使わない。put on[apply] makeup とする。
⇒ make up one's mind (193), make up for (773)

773 make up for

(遅れ・不足などを)取り戻す, 補う
(~の)償いをする

- **make up for** lost time
  (遅れを取り戻す)
- I'm *taking a day off* tomorrow to **make up for** last Sunday.
  (明日, 先週の日曜日の代休を取るつもりだ) ➲(400)
- How can I ever **make up for** what I did to him?
  (私はいったいどうしたら彼にしたことへの償いができるだろうか)

♣ ⇒ make ~ up (772)

774 mark ~ down

(~を)値下げする(⇔ mark up「値上げする」),
〔印などをつけて〕(~を)記録する

- All items are **marked down** 50% off the regular prices.
  (全品目が通常価格の 50%値下げされています)
- If you tell me your return date, I'll **mark** it **down** on my calendar.
  (お帰りになる日を教えていただければ, カレンダーに印をつけておきます)

775 merge with

(~と)合併する

- We are pleased to announce that Baker Inc. will **merge with** the Crown Inc. on November 1, 2013.
  (2013 年 11 月 1 日, ベイカー株式会社はクラウン株式会社と合併することをお知らせします)

♣ be merged with[into]「~に合併[統合]される」の形でもよく使われる。

776 **miss out** | (楽しみ・機会などを) 逃す (on)

- Don't **miss out** on the fantastic bargains in our Summer Sale.
  (サマー・セールの超お買い得品をお見逃しなく)

777 **mix ~ up** | (人・物を) 混乱させる [する], (~を…と) 混同する (with)

- His explanation just **mixed** me **up** even more.
  (彼の説明で私はますます混乱した)
- We often **mix up** selfish desires with good intentions.
  (私たちはしばしば利己的な欲望と善意を混同する)

♣「よくかき混ぜる」が基本の意味。受け身で「(事件などに) 巻き込まれる (in)」の意味もある。
What in the world are you mixed up in? (君はいったい何に巻き込まれているんだい?)

778 **move up** | 昇進 [出世] する, (グレードを) (~へ) 上げる (to)

- Now I think I'm ready to **move up** the ladder.
  (さあ, 私は出世の階段を上るぞ)
- We can help you sell your present home and **move up** to a new home.
  (私どもは, あなたが現在の家を売却して (グレードの高い) 新しい家に移り住むお手伝いができます)

779 **narrow ~ down** | (~の範囲を) 狭める・絞る

- The possible candidates were **narrowed down** to five.
  (可能性のある候補者数は 5 人に絞られた)

780 **pack (~) up** | 荷物をまとめる・(荷物などを) まとめる

- After the convention, we **packed up** and left the hotel.
  (大会が終わって, 私たちは荷物をまとめてホテルを後にした)
- You should **pack up** your tools at the end of the day.
  (一日の終わりには道具をまとめなさい)

781 **pass ~ around** | (~を) 人に回す・配る

- Write your name on this list and **pass** it **around**.
  (この名簿に名前を書いて, 次に回してください)

動詞句 ⑥

PART 5 動詞句 その他の品詞句

782 

pass (~) out
(~を)配る(= hand ~ out (162)), 意識を失う

- The first thing I'm going to do is **pass out** an attendance sheet.
  (まず最初に出席表を配ります)
- You'll **pass out** and *end up* in the hospital if you drink that much.
  (そんなにたくさん飲むと気を失って最後には病院にいるってことになるよ) ➡(158)

783 

pile (~) up
(~を)積む・積み重ねる, 〔物が〕積もる・たまる

- There are a lot of jobs **piled up** for me today.
  (今日はやらなくてはならない仕事がたくさんある)
- His telephone bills are **piling up**. (彼の電話の請求書がたまっている)

♣「(何台もの車が)衝突する」の意味もある。 この名詞形が pile-up「玉突き衝突」。
a six-car pile-up (車 6 台の玉突き衝突) ⇒ a pile of [piles of] (709)

784 

plug ~ in
(電気機器のプラグを)差し込む・接続する

- Could you check to *see if* that monitor is **plugged in**?
  (モニターが接続されているかどうか確認していただけますか) ➡(518)

785

qualify for[as]
(~の)資格を得る

- To **qualify for** this special offer, guests must produce their membership cards.
  (この特価サービスをお受けになるためには, お客さまには会員カードを提示していただく必要があります)
- I **qualified as** a nursery school teacher in 2022.
  (私は 2022 年に保育士の資格をとった)

♣ あとに具体的な「職種名」「資格名」がくるときは qualify as や be qualified as とする。

786 

range from A to B
〔~が〕〈A〉から〈B〉(の範囲)に及ぶ

- Prices **range from** $25 **to** $50. (価格は 25 ドルから 50 ドルの範囲です)

♣ range between A and B「〔~が〕〈A〉と〈B〉の間である」の形もある。

787 

refrain from (doing)
(~することを)慎む・差し控える (doing)

- Most medical experts *advise that* pregnant women **refrain from** drinking alcohol.

（たいていの医療専門家は，妊婦は飲酒を差し控えるよう忠告している） ➲(313)

♣ 改まった言い方。

788 register for ｜（講座・競技会などに）登録する

• I'd like to **register for** this year's Garden Show.
（今年のガーデンショーに登録したいのですが）

• To **register for** the webinar, visit our Web site at www.xxxxx.org.
（ウェビナーへの登録はウェブサイト www.xxxx.org へどうぞ）
▸ webinar「ウェビナー（※ web+seminar の造語，オンラインセミナーのこと）」

♣ **register with** は「（組織などに）登録する」，**register A as B** で「〈人・物〉を〈~〉として登録する」。
register the name as a trademark（名前を商標として登録する）
⇒ **sign up (for A[to do])** (38), **enroll in** (748)

789 report to ｜（~に）行く・出向く，（人の）部下［直属］である

• On your first day of work, October 3, please **report to** building 14 at 8:45 A.M.
（勤務初日の 10 月 3 日は，午前 8 時 45 分に 14 号館に出勤してください）

• Mr. Bruce will *be responsible for* the sales department and will **report to** Mr. Goto, Vice President.
（ブルース氏は営業部の責任者となり，副社長の後藤氏の直属となります） ➲(65)

790 resign from ｜（会社・役職などを）辞める

• Mr. Harrison **resigned from** the company yesterday.
（ハリソン氏は昨日，会社を退職しました）

• He **resigned from** his post for health reasons.
（彼は健康上の理由で辞職しました）

♣ **resign as A** は「〈役職〉を辞任する」，**resign A** の形でも使う。この場合，A は position, post などの名詞。
He resigned as chairman in August.（彼は 8 月に議長を退いた）

791 see ~ through ｜（仕事を）乗り切る・やりとげる

• The team **saw** the project **through** to its successful completion.
（そのチームは事業を無事成功へと導いた）

♣「~を通して見る」が基本の意味。この意味でもよく使う。
see a garden through a window（窓を通して庭を見る）

動詞句 ⑦

792 **send ~ out**	(手紙などを)〔まとめて〕**発送する**, (信号などを)**発信する**

- We have **sent out** invitations to all parents to visit our classroom.
  (私たちは両親全員に授業参観の案内状を送った)
- The Pope **sent out** a message to the world.
  (ローマ教皇は世界にメッセージを発信した)

793 **serve as**	(役職を)**務める**, (~として)**使える・役立つ**

- Mr. Hill comes to us from Sun Enterprises, where he **served as** Vice President for five years.
  (ヒル氏がサン・エンタープライズからわが社においでになります。彼はそちらで5年間副社長を務めました)
- The sofa also **serves as** a bed.(そのソファーはベッドとしても使える)

794 **set** A **apart**	〔特徴・性質などが〕〈A〉を(他のものから)**区別する・際立たせる**(from)

- What **sets** her **apart** (from the other employees) is her great passion for her work.
  (彼女を(他の従業員から)際立たせているのは，仕事に対する強い情熱だ)

♣ 他のものより優れているという意味合い。set ~ apartで, set ~ aside (795)と同義で使うこともある。

795 **set ~ aside**	(金・時間などを…のために)**取っておく**(for) (= reserve, save)

- An IRA is a personal savings plan that *allows* you *to* **set aside** money for retirement.
  (IRA(個人年金積立)はあなたが退職後に備えてお金を蓄えることを可能にする個人貯蓄プランです)
  ➲(20)

796 **settle in[into]** A	〈場所〉に**定住する**, (〈新しい仕事・環境など〉に)**慣れる・落ち着く**

- He immigrated to the United States and **settled in** the city of Minneapolis.
  (彼はアメリカに移住し，ミネアポリス市に定住した)
- I still haven't **settled into** my new job.
  (新しい仕事にはまだ慣れていない)
- He seems to have **settled in** at his new office.
  (彼は新しいオフィスにも慣れたようだ)

♣ 自動詞用法(「慣れる・落ち着く」)はsettle inのみ。

797 **sort ~ out** | (問題などを)**解決する**, (~を)**整理する・区分けする**

- I believe the error was simply a typographical error. This problem can be **sorted out** quite easily.
  (そのエラーは単に誤植です。この問題はきわめて簡単に解決できると思います)
- I will contact you once everything has been **sorted out**.
  (すべてが整理されたらすぐにご連絡します)

798 **stand out** | (~を背景に・~から)**目立つ・際立つ**

- WebDesign can make your site **stand out** from the crowd with our advanced designs.
  (ウェブデザインは高級なデザインによってあなたのサイトを多くの中で際立たせることができます)

♣ outstanding は「目立った」。例文中の crowd は「一般の物・人」の意味。

799 **step down** | (役職から・~の職を)**辞任する** (from, as)

- Bronson has **stepped down** from his post as president of ACNN.
  (ブロンソンは ACNN の社長職を辞任した)

♣「(踏み段を)降りる」が基本の意味。
step down from the platform (演壇から降りる)

800 **stick to** | (~を)**根気よくやる**, (主題・要点から)**それない**, (主義・方法などを)**固守する**

- **Stick to** what you began with. (始めたことは根気よくやりなさい)
- Let's **stick to** the point. (問題点からそれないようにしよう)
- **Stick to** your principles. (自分の主義は守りなさい)

♣「~にくっついて離れない」が基本の意味。

801 **submit** A (**to** B) | 〈案・論文など〉を(〈人・組織など〉に)**提出する**

- Submit your application *no later than* January 31st.
  (申請書は1月31日までに提出してください) ➲(269)
- He **submitted** his resignation **to** the president on Wednesday.
  (彼は水曜日に大統領に辞表を提出した)

♣「提出する」のかたい言い方。**hand ~ in** (161), **turn ~ in** (385) などが日常語。
submit to A は「〈人・意見など〉に従う」。
submit to the decision of the majority (多数(派)の決定に従う)

動詞句⑧

802	**substitute** (A) **for** B	(〈A〉を)〈B〉の代わりに使う, 〔～が〕〈B〉の代わり[代理]をする

- **substitute** honey **for** sugar in baking
  (パンを焼くのに砂糖の代わりにハチミツを使う)
- Maple syrup can also **substitute for** sugar in some recipes.
  (いくつかのレシピではメープルシロップも砂糖の代わりになります)

♣ 名詞で a substitute for A「〈A〉の代理(品)」の形で使うことも多い。

803	**sum** (~) **up**	(～を)要約する(= summarize), (～の)要点を述べる

- I would like to **sum up** what we've discussed so far.
  (これまで論じてきたことをまとめたいと思います)
- **Summing up**, I would strongly recommend that we begin investing in these areas as soon as possible.
  (要点を言えば, できるだけ早くこれらの分野への投資を始めることを強くお勧めしたいのです)

♣「要約する」の意味では summarize のくだけた言い方。
to sum up は「要するに」(= in a word (664), in short (882))。

804	**take** A **for granted**	〈A〉を当然のことと思う

- I'm sorry, I've **taken** your friendship **for granted**.
  (あなたの友情を当然のように思っていてごめんなさい)
- I **took** it **for granted** that you agreed with me on this issue.
  (私はあなたがこの問題で当然賛同してくれるものと思っていました)

♣ 2番目の例のように,〈A〉を仮主語の it にして take it for granted (that) の形にすることもある。

805	**take** A **into account** [**consideration**]	〈A〉を考慮に入れる(= consider)

- Did you **take** the time differences **into account**?
  (時差を考慮に入れた?)
- Good design should **take into account** how, when, and where the information is used. — Edward R. Tufte
  (よいデザインとは, どのように, いつ, どこでその情報を使うかを考慮に入れているものである — エドワード・R・タフト)

♣〈A〉の部分が長いときは, 2番目の例文のように take into account [consideration] A にする。 ⇒ take account of (824)

806 **tear ~ down** | (建物などを)**取り壊す**

• The old hospital was **torn down** and a new one was built.
(古い病院は取り壊され，新しい病院が建てられた)

♣ tear の発音 [téər] に注意。「涙」は [tíər]。

807 **turn ~ away** | (~を)**追い返す・中に入れない，顔をそむける**

• The hall was already full, and hundreds of fans were **turned away** at the door.
(会場はすでに満席で，何百人ものファンが入り口で追い返された)

• He **turned away** and looked out the window.
(彼は顔をそむけ，窓の外を見た)

808 **turn ~ over** | (~を…に)**譲り渡す・引き渡す**(to)

• He **turned** the property **over** to his niece.
(彼は財産を姪に譲った)

• The suspect was **turned over** to the police on Wednesday.
(容疑者は水曜日に警察に引き渡された)

♣ 基本の意味は「ひっくり返る[返す]」。ほかに「転覆させる」「ページをめくる」などの意味。

809 **turn to** A | 〈ページ〉を**開く**，〈人・事〉に(助けなどを)**求める**，〈新しい話題などに〉**移る**

• This is the end of the Listening test. **Turn to** PART 5 in your test book.
(リスニングテストはこれで終わりです。テストブックの PART5 を開いてください)
〔TOEIC の指示文〕

• As the domestic market has matured, manufacturers have **turned to** overseas markets.
(国内市場が成熟するにつれ，メーカーは海外市場に活路を求めてきた)

• I'd like to **turn to** the question of rising production costs.
(生産コストの高騰の問題に話を移したいと思います)

動詞＋名詞①

810	**cross[enter] one's mind**	(考えが)心をよぎる[心に浮かぶ]

• They were lovers? The thought never **crossed** my **mind**.
（彼らが恋人同士だったって？　そんなことまったく思いもしなかったよ）

811	**deliver a speech [lecture]**	講演[講義]をする

• Professor Suzanne Benedetto will **deliver** the opening **speech**.
（スザンヌ・ベネデット教授がオープニングスピーチを行います）

812	**earn[make] a living**	(～で)生計を立てる

• If you want to **earn a living** as an artist, you must have good business skills and be able to work with people.
（アーティストとして生計を立てたいのなら，あなたはビジネスの技量を持っていなければならないし，人と一緒に仕事ができなければならない）

♣ living は「生計」の意味。What do you do for a living? は初対面の人に「仕事は何をされているのですか」とたずねる表現。

813	**fill an order**	注文に応じる

• We are truly sorry that we have not yet been able to fill your order.
（まだご注文にお応えできず，誠に申し訳ございません）

814	**get (a) hold of**	(人を)(話をするために)つかまえる，(物を)入手する

• What's the best way to **get a hold of** you? — E-mail would be best.
（君をつかまえるにはどうするのが一番いい？ — E メールが一番だね）
• How can I **get hold of** a copy of the annual report?
（年次報告書を 1 部手に入れるにはどうしたらいいですか）

♣「(～を)つかむ(= grasp)」が基本の意味。この意味では，get のほかに take, grab, seize なども使う。

815	**hold one's breath**	息を止める，かたずをのむ

• Everyone **held** their **breath**, waiting to see what would happen next.
（誰もがかたずをのんで次に何が起こるか見ようと待ち構えた）

816 

keep track of

(~の動向を)見失わない(⇔ lose track of)

- Register with Stock.com. You can **keep track of** your portfolio.
  (Stock.com に登録してください。あなたのポートフォリオを追跡できます)

817 

lead a ... life

(…な)生活をする

- We can **lead a** comfortable, *if not* luxurious, **life**.
  (私たちはぜいたくではなくても，快適な生活を送ることができる) ➲(298)

♣ live a ... life も同じ意味。「...」には happy, peaceful, exciting, busy, lonely, dull, hard など，形容詞が入る。

818 

lose one's temper

平静を失う，かっとなる

- I'm sorry I **lost** my **temper**.
  (かっとなってごめん)

♣ 反対は keep one's temper「平静を保つ」。

819 

make a (big) difference

(~に)(きわめて)重要な影響を持つ(in, to)

- It is always the little things that can **make a big difference** in everything you do.
  (ささいなことこそがいつでも，あなたのすることにきわめて重要な影響を与えられるのです)

♣ big のほかに major, a great deal of, significant なども使う。
また，否定文(not make ... any difference, make no difference)で使うことも多い。
It wouldn't make any difference anyway.(それはいずれにしても重要なことではない)

動詞＋名詞②

820

make one's way

(ゆっくりと・困難な中を)進む・行く

- **make one's way** through the crowd
  (人ごみの中を進む)
- Attention, passengers. The conductor will soon **make his way** through the train to check tickets.
  (乗客の皆さま。車掌がまもなく切符をチェックするため車内を通ります)

821 make sense

意味をなす・理にかなう(= be sensible[reasonable]), (~するのは)賢明である(to do)

- It doesn't **make sense**.
  (それは理にかなっていないよ[(話が)おかしいよ])
- A vegetarian diet **makes** good **sense**.
  (菜食主義者の食事はとても理にかなっている)
- It **makes** good **sense** to increase your daily calcium intake.
  (毎日のカルシウム摂取量を増やすのはとてもいいことです)

♣ sense に good をつけることも多い。little や no をつけると「あまり[まったく]意味をなさない[理にかなわない]」の意味になる。make sense (out) of は「~を理解する」。
I'm trying to make sense of his statement.
(私は彼の言ったことを理解しようとしている)

822 pay a visit

(~を)訪問する(to) (= visit)

- Please **pay a visit** to our website at http://www.abcd.com/.
  (どうぞ私どものウェブサイト, http://www.abcd.com/ を訪れてください)

♣ pay A a visit (at, in) の形でもよく使う。
pay him a visit at his office(彼をオフィスに訪ねる)

823 take steps (to do)

(~するための)措置[対策]を講じる

- We must **take** immediate **steps** to make sure it never happens again.
  (二度とこのようなことが起きないよう, 早急に対策を講じなければならない)

♣ measures も同義で使える。steps[measures] の前に immediate, drastic, preventive などを入れることが多い。

824 take account of

(~を)考慮する

- Industrial policy must **take account of** waste reductions and material reuse.
  (工業政策は廃棄物を減らすことと材料の再利用を考慮に入れなければならない)

♣ take A into account [consideration] (805) が同義。

825 take effect

(規則・法律などが)発効する, (薬などが)効果を生じる

- The new regulation will **take effect** on April 20.
  (新しい規則は4月20日から発効する)
- In a few minutes the drug will **take effect** and you will feel sleepy.
  (数分で薬が効いてきて, 眠くなります)

♣「発効する」の意味では go[come] into effect (390) が同義。

826 

take one's **place**　(人・物に)代わる・(の)代わりを務める

• I was too busy to attend the meeting, so I had my secretary **take my place**.
(私は忙しくて会議に出席できなかったので，秘書に代わってもらった)

♣ take the place of A ともいう。
Sending e-mail has almost taken the place of writing letters.
(E メールを送ることが手紙を書くことのほとんど代わりになっている)
⇒ take place (17)

827 

take responsibility for　(～の)責任を担う，(過失などの)責任を負う

• Mr. Jones will **take responsibility for** the contents of the proposal.
(提案内容についてはジョーンズ氏に責任があります)
• We cannot **take responsibility for** your company's loss in this case.
(この件での御社の損失に対しては私どもは責任を負いかねます)

♣「責任を負う」の意味には accept,「責任を担う」意味には assume も使える。
過失などに対する「(法的)責任」は liability を使う。
accept liability for (～に対する責任を負う)

828

talk A **into**[**out of**] doing　〈人〉を説得して～させる[させない]

• He tried to **talk** her **into** returning home, but she *insisted on* a divorce.
(彼は彼女が家に戻ってくるよう説得を試みたが，彼女は離婚するといってきかなかった)
➲ (760)

• The police finally **talked** her **out of** jumping from the building.
(警察はようやくビルから飛び降りないよう彼女を説得した)

be 動詞句①

829	be **absorbed in**	(~に)夢中になっている

- Those students **were absorbed in** reading comic books.
  (その生徒たちは漫画を読むのに夢中だった)

♣ be absorbed into は「~に吸収[合併]される」。

830	be[**become, get**] **acquainted with**	(~と)知り合いである[知り合う], (事を)知っている[知る]

- This event *is designed to* help students **get acquainted with** each other. ➲(67)
  (この催しは学生たちがお互いに知り合いになる手助けをするために計画されています)
- We **are** well **acquainted with** the Japanese markets.
  (われわれは日本の市場をよく知っています)

831	be **ashamed of**	(~(したこと)を)恥じている(doing)

- I'**m** not **ashamed of** anything.
  (私は何も恥じてはいない)
- He who **is ashamed of** asking **is ashamed of** learning.
  (たずねることを恥じる人は,学ぶことを恥じているのだ)

♣ be ashamed to do は「~するのを恥じる」。be ashamed that「…であることを恥じる」の形もある。ashamed には「罪悪感」が含まれる。単に「(失敗などをして)恥ずかしい」は be embarrassed を使う。

832	be **at a loss**	(~に・~するのに)途方にくれている(for, to do)

- I'**m at a loss** for words.(言葉につまっている)
- They **are at a loss** to explain the yen's prolonged slump.
  (彼らは円安が長期化していることを説明するのに窮している)

833	be **better off**	(~する)ほうが賢明である(doing), より暮らし向きがよい

- You would **be better off** staying in the same job.
  (同じ仕事にとどまっているほうがいいでしょう)
- **Are** you **better off** now than at the beginning of the year?
  (年頭より今のほうが暮らし向きはいい?)

♣ well off の比較級。1 番目の意味では would とともに用いることが多い。

834 be **bound to** do　きっと(~する), (~する)義務がある

- Don't worry too much about it. It **was bound to** happen *sooner or later*.
  (それについてはあまり心配しないように。それは遅かれ早かれ必ず起きることだったのですよ)
  ➲(700)
- The company **is** legally **bound to** record five more albums under its recording contract.
  (その会社は録音契約のもとで，さらに5枚のアルバムを録音する法的義務がある)

♣ be bound and determined to do は「必ず~すると決心している」。
⇒ be sure to do (59), bound for (529)

835 **get**[be] **carried away**　われを忘れる[忘れている]

- I **got** a little **carried away** with my work.
  (私は仕事でちょっと夢中になった)

♣ carry away「~を運び去る，押し流す」が基本形。

836 be **content with**　(~に)満足している

- I **am content with** my life *as it is* now.
  (今のままで，自分の人生に満足している)
  ➲(856)

♣「幸せ」を感じているというニュアンスを含む。　⇒ be satisfied with (423)

837 be **due**　(~の・~する)予定である(for / to do), (~が)支払い[提出]期限である(on, by)

- The album **is due** for release on February 28.
  (そのアルバムは2月28日に発売予定です)
- The ship **is due** to arrive in New York as scheduled on August 27 at 7:00 am.
  (その船は予定どおり8月27日午前7時にニューヨークに着く予定です)
- Don't forget that your report **is due** by the close of business today.
  (レポートは今日の終業までが提出期限となっていることを忘れないで)

♣ ⇒ due to (74), in due course[time] (872), due date (912)

838	be **entitled to** [**to** do]	(~の・~する)資格がある

- You **are entitled to** three weeks' vacation.
(あなたには3週間の休暇を取る資格があります)
- An estimated 500 people **are entitled to** receive compensation of between 3 million yen and 10 million yen.
(おおよそ500人が300万円から1000万円の補償金を受け取る資格がある)

♣ (be) entitled ... は「…という題名の(つけられた)」。
Her first book, entitled The Mysterious Affair at Styles, was published in London.
(The Mysterious Affair at Styles という題名の彼女の初めての本はロンドンで出版された)

be 動詞句②

839	be **impressed by** [**with**]	(~に)感銘を受ける

- I **was** much **impressed with** the article, which appeared in the May issue of "Home Magazine."
(私は『ホームマガジン』の5月号に掲載された，その記事に大いに感銘を受けた)

840	be **in ... condition**	…な状態である，調子が…である

- The boy **is in** good **condition** and will soon be released from the hospital.
(その少年は病状が落ち着いていて，すぐ退院できるでしょう)

♣「...」には good, perfect, bad, poor などの形容詞が入る。
この形で conditions と複数にすると「生活状況(暮らし向き)」の意味になる。
live in ... conditions「…な状況で暮らす」
この場合は excellent, difficult, terrible など「暮らし向き」を形容する語が入る。
⇒ on (the) condition (that) (719)

841	(be) **in a rush**	(~するのを)急いでいる(to do) (=(be) in a hurry (207))

- If you **are in a rush** to find our service center in your area, use the e-Shop Finder.
(お住まいの地域で私どものサービスセンターを探すのを急いでおいでなら，e-Shop Finder をご利用ください)

♣ What's the rush?(どうして急いでいるの), There's no rush.(急ぐ必要はない)などもよく使う表現。

842 be **in for a treat** | 間違いなく楽しむだろう

- If you've never tried these French pancakes, you'**re in for a treat**!
  (このフレンチ・パンケーキを食べたことがない人は間違いなく楽しむでしょう[ぜひお試しあれ])

♣ くだけた言い方。

843 be **lacking in** | 〔必要なものが〕欠けている・不足している

- It *looks like* you'**re lacking in** protein and calcium.
  (あなたはタンパク質とカルシウムが不足しているようです) ➲(9)

844 be **made up of** | (～で)構成される・(～から)成り立っている

- There were 6.7 million households **made up of** single, elderly people.
  (独身の年配者から成る世帯が 670 万戸あった)

♣ make up A of B「A を B で構成する」の受け身形。
⇒ make ~ up (772), be made of (214)

845 be **obliged to** do | (～)せざるを得ない

- If payment is not made within 10 days, we will **be obliged to** *refer* this matter *to* our collection agency.
  (10 日以内にお支払いがなされなければ，この件を取立代理会社に任せざるを得ないでしょう) ➲(36)

♣「必要・義務があって～する」という意味。be forced to do (620) は「外的なものに強制されて～する」という意味合い。have no choice but to do (917) も同義で，「外的な状況によって」。

846 be **out of the question** | 問題にならない〔不許可〕，不可能な (= impossible)

- No. It'**s out of the question**. Forget it.
  (だめです。問題になりません。忘れなさい)
- How much do you think we can get?
  — I think a million dollars **is** not **out of the question**.
  (どれくらいの金額が達成できると思う？ — 100 万ドルは不可能ではないでしょう)

♣ ⇒ without question[doubt](496)

847 be **on the point of** | (～する)間際で[に]ある(doing)

- I'*m* not *sure* what, but something **is on the point of** happening.
  (何であるかははっきり分からないが何かがまさに起きようとしている) ➲(427)

♣ ⇒ be (just) about to do (201)

848 be **propped** (**up**) **on**[**against**] | (～を・～に)もたせかける・立てかける

- A bicycle **is propped against** a tree.
  (自転車が木に立てかけられている)

♣ prop A on[against] の受け身形。
prop A open [A is propped open] で「〔棒などで〕〈ドアなど〉を閉じないようにしておく」の意味。
A door has been propped open.(ドアが開け放たれている)

849 be **reluctant to** do | (～)したがらない(⇔ be willing to do (223))

- Japan's banks **are** often **reluctant to** lend to small businesses.
  (日本の銀行はしばしば零細企業への貸付をしぶる)

850 be **superior to** | (～より)優れている (⇔ be inferior to「～より劣っている」)

- He who can take advice **is** sometimes **superior to** him who can give it. — Karl von Knebel
  (忠告を受け入れられる人は時として忠告を与えられる人より優れている — カール・フォン・クネーベル)

TOEIC テスト　頻出連語⑨

★は最頻出連語 TOP 50

■税金・率

income tax （所得税）
sales[consumption] tax （消費税）
interest rate★ （金利，利率）
profit margin （利ざや，利益率）
discount rate （割引率）
mortgage rate （抵当利息，住宅ローン金利）
unemployment rate （失業率）
employee[staff] turnover （従業員離職率）

■ニュース・通信・情報

public relations★ （広報〔PR〕）
company newsletter （社報）
weekly[monthly, quarterly] newsletter （週報[月報，季報]）
press conference★ （記者会見）
press release★ （プレスリリース，報道発表）
message board （伝言板，〔インターネットの〕掲示板）
bulletin board （掲示板）
business letter （ビジネスレター）
registered mail （書留郵便）
(tele)phone call （電話）
cell[cellular/mobile] phone★ （携帯電話）
pay phone （公衆電話）
phone number★ （電話番号）
area code （市外局番）
contact information[number]★ （連絡先情報[電話番号]）
relevant information （関連情報）
confidential information （機密情報）

トラック 5- 14

前置詞句・副詞句①

851  all in all　概して言えば，まずまず

- There were a few problems, but, **all in all**, it was a well-organized conference.
（いくつか問題はあったが，まずまずよく組織された会議だった）

♣ on the whole (486) が同義。　⇒ in all (472)

852  among other things　特に，とりわけ

- We discussed, **among other things**, recent events in Europe.
（私たちは，特に[とりわけ]最近のヨーロッパでの出来事について話し合った）

853  as a matter of fact　〔発言を強調して〕実のところは・実際，〔発言を訂正して〕(いや)実際は

- The hotel was good. **As a matter of fact**, it was fantastic.
（ホテルはよかったよ。いや実際のところ，すばらしかった）
- **As a matter of fact**, he knew very little about the matter.
（(いや)実際は，彼はこの件についてほとんど何も知らなかったのだ）

854  as a token of　(～の)しるし[記念]として

- Please accept this gift **as a** small **token of** our appreciation.
（感謝のしるしとして私たちのささやかな贈り物をお収めください）
- **As a token of** our apology, we have enclosed a gift voucher for ten percent off.
（お詫びのしるしとして10%オフのギフト券を同封させていただきました）

♣ 後に appreciation/gratitude「感謝」, friendship「友情」, apology「謝罪」などの語を続ける。

855  as early as　早くも[早ければ]～には

- Monthly rent is $950. Sign a one-year lease and you can move in **as early as** August 1.
（月額家賃は950ドルです。1年契約で，早くも8月1日には入居可能です）

♣ as early as possible は「可能な限り早く」。　⇒ as ... as possible (98)

856 

as it is — 現状のままで・そのままで，（現在の状態で）すでに・今でも

- Leave everything just **as it is**.
（すべてそのままにしておいてください）
- I've got enough problems **as it is**.
（問題ならすでに十分抱え込んでいる）

♣「現状のままで」の意味はas they are[were], as he is[was]など，他の人称・時制でも使う。

857 

at (the) most — 多くても，せいぜい（⇔ at least (71)）

- Mr. Hill said he believes the growth rate will be 1.5 percent, **at most**.
（ヒル氏は成長率はせいぜい1.5%になると思うと言った）

♣ ふつう数量表現の後，または直前に置く。

858 

at all costs [at any cost] — どんなに費用［犠牲］を払ってでも

- This is obviously a very difficult situation, which should be avoided **at all costs**.
（これは明らかにとても困難な状況でして，どんな犠牲を払ってでも避けなくてはなりません）

♣ at the cost of「～を犠牲にして」, at a cost of A「〈金額〉の費用で」, at cost「原価で」（それぞれ冠詞に注意）
Now you can buy (it) at cost!（さあ，原価で買えるよ!）

859 

at ease — 気楽に，安心して

- I felt completely **at ease** in the open, friendly atmosphere of the team.
（開放的で友好的なチームの雰囲気に私はすっかり安心した）

♣ easeは「気楽さ」という意味。ill at easeは，反対に「不安な，落ち着かない」の意味。
He looks ill at ease.（彼は落ち着かない様子だ）　⇒ with ease (704)

860 

at no (extra) cost[charge] — 追加料金なしで・無料で

- Guests can use the hotel swimming pool **at no extra charge**.
（宿泊者はホテルのプールを追加料金なしで利用できます）

前置詞句・副詞句②

861 **at** one's **disposal** 自由になる[使える]

- Professional staff are **at** your **disposal** 24 hours a day to *meet* your *needs*.
  (必要に応じて1日24時間，プロのスタッフをご自由にお使いいただけます) ➲(605)
- I don't have enough money **at** my **disposal**.
  (私には自由に使えるお金が足りない)

862 **at the latest** 遅くとも(⇔ at the earliest「早くとも」)

- When would you like to schedule the meeting?— As soon as possible. Tomorrow afternoon **at the latest**.
  (ミーティングの日程はいつをご希望ですか―できるだけ早く。遅くとも明日の午後には)

863 be (**all**) **set for**[**to** do] (～の・～する)準備ができている

- I'll **be all set for** the move at the end of this month.
  (今月末には転居の準備はできているでしょう)
- I'**m all set to** go.
  (出かける準備はできた)

♣ be ready for[to do] (56) のくだけた言い方。set は形容詞(分詞形容詞)で，be の代わりに get を使うと「準備をする」の意味になる。

864 **by any chance** ひょっとして・もしかして

- **By any chance** are you free this evening?
  (ひょっとして今晩あいてますか)

♣ ていねい[婉曲]な質問に使う。 ⇒ happen to do (164)

865 **for once** 今回[一度]だけ(でも)

- **For once** I *agree with* you.
  (今回だけ賛成しよう) ➲(19)
- **For once** in your life would you please trust me?
  (一生に一度でいいから私を信じていただけませんか)

866 for the duration of　(～の)期間中・継続時間中

- The camera remained on the President **for the duration of** his speech.
  (大統領のスピーチが続く間，カメラは大統領を映し続けた)

867 for the sake of　(～(の利益・助け・目的など)の)ために

- They moved to the country **for the sake of** their son's health.
  (彼らは息子の健康のために田舎に引っ越した)

♣ for one's sake とも言う。

868 for the time being　今のところは，当分[当面]は

- This is the best we can do **for the time being**.
  (今のところ，これが私たちにできる最良のことです)
- We must halt the project **for the time being**.
  (当面，その計画は中断しなければならない)

869 in an effort to do　(～しよう)と試みて

- **In an effort to** reduce costs, management implemented a new workplace improvement program.
  (コストを削減しようと，経営陣は新しい職場改善プログラムを実施した)

870 in compliance with　(～に)従って・応じて

- Products should be delivered **in compliance with** terms and conditions of the contract.
  (製品は契約書の取引条件に従って納品されなければならない)

♣ compliance は「(規則・取り決めなどに)従うこと，遵守」。

前置詞句・副詞句③

871 **in conclusion** 結論として，最後に

- **In conclusion**, I would like to say how much I have enjoyed working with you all.
（最後になりますが，皆さんと仕事ができて本当に楽しかったということを申し上げます）

872 **in due course[time]** そのうちに，やがて（= eventually）

- Details of our campaign will be announced **in due course**.
（キャンペーンの詳細はそのうち公表します）

♣「しかるべき時間を経たあとで」という意味。

873 **in exchange (for)** （～と）引き換えに・その代わりに

- *No problem* — I can do that. Would you cover my shift next Monday evening **in exchange**? ➲(103)
（いいですよーできますよ。その代わり来週の月曜日の夜，私のシフトを代わってもらえます）
- She bought me dinner **in exchange for** helping her move.
（彼女は引っ越しを手伝う代わりに夕食をおごってくれた）

874 **in light of** （状況・情報などに）照らして

- **In light of** the rapid spread of the disease, the government has decided to *take* drastic *steps*. ➲(823)
（その病気の急激な流行を考慮して，政府は徹底的な措置を講ずることを決定した）

875 (be) **in operation** 作動［稼動］中で（ある），実施［運営］されて（いる）

- Safety glasses must be worn while the machine **is in operation**.
（機械の作動中は保護眼鏡を着用しなければならない）
- New immigration controls will **be in operation** by next January.
（来年の１月までに新しい入国管理制度が施行される）

876 **in preparation for** （行事などに）備えて

- **In preparation for** the event, organizers are looking for volunteers to help out.
（このイベントに備えて，主催者は手伝っていただけるボランティアを募集しています）

877 **in private** | 内密に, 非公式[非公開]に(⇔ in public (878))

- Could I have a word with you **in private**?
  (内密に, あなたとお話しできますか)
- The committee agreed to hold the meeting **in private**.
  (委員会は会議を非公開で行うことに同意した)

♣ in private rooms のように, あとに名詞(複数)があるときは「プライベート[個人的]な~で」の意味。

878 **in public** | 人前で[に], 公然と(= publicly)(⇔ in private (877))

- It is rare for Chinese leaders to appear **in public** with their children.
  (中国の指導者が子ども連れで公の場に現れることはめったにない)
- Let's not make our arguments **in public**.
  (われわれの論争を公にしないようにしよう)

♣ in public places のように, あとに名詞(複数)がくるときは「公共の~で」の意味。

879 **in recognition of** | (~の功績)を認めて・たたえて

- This award is given **in recognition of** outstanding development or achievement in the field of audio engineering.
  (この賞は音響工学の分野における際立った発展と功績をたたえて授与されます)

880 **in return (for)** | (~への)お返しに・見返りとして

- If we can ever help you **in return**, please do not hesitate to let us know.
  (お返しに何かお手伝いできることがあれば, 遠慮なくお知らせください)

前置詞句・副詞句④

881 **in shape** 《stay/keep in shape で》体調を維持する

- Are you doing anything to **stay in shape**?
  (体調維持のために何かしていますか)
- She **keeps in shape** by exercising daily and eating well.
  (彼女は毎日運動し，よく食べることで体調を維持している)

♣ in shpe は「～形の」が基本の意味。round in shape「丸い形の」
be out of shape は「体調が悪い」。

882 **in short** つまり，要するに

- What I'd like to propose is ... well, **in short**, I'd like to get two printers instead of one.
  (私が提案したいのは…そうですね，要するに，プリンターを１台ではなく２台用意したいということです)

♣ in brief や in a word (664) も同じ意味。for short は「略して，短く言って」。
Web pages are written in a text language called HyperText Markup Language, or HTML for short.
(ウェブページは，HyperText Markup Language，略して HTML と呼ばれるテキスト言語で書かれている)

883 **in the event of** (～の)場合には (= if)

- A $25 fee will be charged **in the event of** any cancellation.
  (いかなるキャンセルの場合も 25 ドル請求いたします)

♣ in the event that の形もある。 いずれも改まった表現で，契約書などによく使われる。
⇒ in case of (255)

884 **in the long run** 長い目で見ると，結局は (= eventually)

- The initial costs are higher than expected, but we will *be better off* **in the long run**. ➲(833)
  (初期の費用は予想より高いが，長い目で見ると，より利益をあげるようになるだろう)

♣ in the short run「短期的には」

885 **in the near future** 近いうちに，近い将来に，

- We hope to see you again **in the near future**.
  (近いうちにまたお会いしましょう)

• Robots will operate by artificial intelligence **in the near future**.
（近い将来ロボットは人工知能で動くようになるだろう）

886	**in this respect**	この点で

• We need to expand into overseas markets; **in this respect** we are falling behind our competitors.
（わが社は海外市場に拡大する必要がある。この点でわが社は競争相手に後れをとっている）

♣ in some[many] respects は「いくつかの［多くの］点で」, in every respect は「あらゆる点で」。例文の fall behind は「（～に）後れをとる」。

887	**in turn**	順番に,（その結果）今度は

• Let's look at each problem **in turn**.
（順番にそれぞれの問題を見ていこう）

• Terrorism is born of hatred and **in turn** feeds it. — Pope John Paul II
（テロリズムは憎悪から生まれ，今度はそれを育てる ― ローマ教皇ヨハネ・パウロII世）

♣ 2 番目の例の be born of は「～から生まれる［生じる］」。 ⇒ take turns (607)

888	**in view of**	（～を）考慮して・考えて

• **In view of** the circumstances, it seems better to wait until next week.
（状況を考慮すると，来週まで待ったほうがよさそうだ）

♣ in view of the fact that「…ということを考慮して」

889	**in[out of] service**	〔機械・乗り物などが〕（公共に）使用されて［されないで］・利用できて［できないで］

• The number you have called is no longer **in service**.
（おかけになった電話番号は現在使われておりません）

• The copier is currently **out of service**.
（コピー機は現在使用できません［故障中です］）

890	**inside out**	裏返しに, 《turn A ～で》〈物・事など〉（の裏表を）ひっくり返す

• Do you know you're wearing your shirt **inside out**?
（君はシャツを裏返しに着ているの分かってる?）

• He **turned** the pockets **inside out** to be sure there were no coins left.
（彼はコインが１つも残っていないことを確認するためにポケットをひっくり返した）

♣ know A inside out で「A をすみからすみまで知っている」。 ⇒ upside down (703)

前置詞句・副詞句⑤

891 

on short notice

(十分な予告なしに)急に，いきなり

- Please accept my apologies for canceling our meeting **on** such **short notice**.
(急にミーティングをキャンセルいたしまして申し訳ございません)

♣ without notice は「予告なしに，無断で」。

892 

on a ... basis

…ベースで

- on a daily[monthly] basis(毎日[毎月])
- on a part-time basis(パートタイム[時間給]で)

♣「…」には daily, weekly, monthly や full-time, part-time などが入る。
⇒ on the basis of (693)

893 

on[upon] doing

～するとすぐに

- **Upon** arriving at the station, call 1-888-333-0123 toll-free from any public telephone.
(駅に着いたらすぐに，どの公衆電話からでもフリーダイヤル 1-888-333-0123 までお電話ください)

♣ as soon as (97) のかたい言い方(upon のほうがさらにかたい)。doing のほかに arrival, receipt, request などの動作を表す名詞も使う。
keep (on) doing (132) のほか，depend on[upon] (156), plan on (364), insist on[upon] (760) などの後に doing がついた～ on doing はそれぞれの項を参照。

894 

on balance

すべてを考慮すると，結局のところ

- **On balance**, it's a good scanner and, given the price, an excellent buy.
(全体的に見て，それはいいスキャナーで，値段を考慮すれば，最高の買い物です)

♣ 例文中の given は前置詞で「～を考慮すれば」の意味。off balance は「バランスを失って，不安定で」。strike a balance は「バランスを取る」，balanced budget は「均衡予算」。

895 

on end

続けて

- We sat there for hours **on end**, just talking and looking out on the ocean.
(私たちはただ話をしたり海を見たりして，何時間もそこに座り続けていた)

♣ for hours[days, weeks, years] on end のように，漠然と「長い間」という意味で使う。 具体的に数字を入れるときは in a row (471) を使う。

896 on hold

(電話を)切らないで[待たせて], 延期して

- Sorry, but I have another phone call. Let me put you **on hold** for a moment.
  (ごめん, 別の電話が入ったので, 切らないでちょっと待ってて)
- The discussion was put **on hold** for a future meeting.
  (その討議は先の会議に延期された)

♣ 例文のように put A on hold の形で使うことが多い。 ⇒ hold on (558)

897 (every hour) on the hour

(毎) 正時に

- He arrived at nine **on the hour**.(彼は 9 時きっかりに到着した)
- These trains leave **every hour on the hour** from 6:00 A.M. to midnight.
  (これらの列車は午前 6 時から真夜中まで毎正時に出発する)

898 to be sure

念のために, 確かに(= surely, absolutely)

- Now let's check it, just **to be sure**.
  (さあ, 念のために確認しよう)
- The market is active, **to be sure**, but the volume has turned downward.
  (確かに市場は活発ではあるが, その取引量は下向きになった)

♣「念のために」の意味では, just をつけて意味を強めることがある。「確かに」の意味では, 挿入的に用いる。あとに but を続けて「確かに～だが, しかし」のように使うことが多い。

899 to date

現在まで(= until[up to] now)

- **To date**, we have not received any complaints on the models.
  (今までのところ, この型についての苦情は 1 つもない)

♣ ⇒ up to date (280)

900 to some[a certain] extent

ある程度(は)

- I agree **to some extent**, but ....
  (ある程度は同意しますが, …)
- **To a certain extent** one has to rewrite the past in order to understand it.
  (人は過去を理解するためにはある程度それを書き換えなくてはならない)

♣ extent は「広がり」が基本の意味。to a great[large] extent「大いに[最大限に]」, to the extent of[that]「…(である)という程度まで」。extent のほか degree も使える(to some[a certain] degree)。

901 to the point

要を得た[て](⇔ beside the point「要点を外れた」)

- Thank you for your lectures. They were **to the point** and very informative.
(講義をしていただきありがとうございました。要を得て大変有益でした)

♣ on target も同じ意味。

902 until further notice

追って通知があるまで

- Due to flooding caused by recent rain storms, the trail is closed **until further notice**.
(最近の暴風雨による洪水のため，トレイルは追って通知があるまで閉鎖されています)

903 up and running

(機械・事業などが)順調に稼動[機能]して

- We expect the application to be **up and running** within the next twenty-four hours.
(アプリケーションは 24 時間以内に(正常に)稼動する予定です)

904 up to a point

ある程度まで

- I *agree with* you **up to a point**, but I also think that you need to consider the costs involved.
(ある程度までは賛成しますが，私は関連する経費についても考慮する必要があると思います)
➲(19)

♣ up to a certain point とすることもある。 ⇒ **up to** (90)

名詞句・形容詞句

905 (for) further information[details] | さらなる情報[詳細](は)

- Please visit our Web site or e-mail us for further information.
  (さらに詳しくはウェブサイトをご覧いただくか，E メールでお問い合わせください)
- We can arrange a meeting to discuss further details.
  (さらに詳細についてはミーティングを設定することもできます)

906 pros and cons | (~の)プラス面とマイナス面(of)

- At the next meeting, we will discuss the **pros and cons** of both plans.
  (次の会議で両方の案のプラス面とマイナス面を検討しましょう)

♣ pro「賛成票」と con「反対票」の意味から。

907 a handful of | 一握り[つかみ]の，ほんの少数の

- She picks up **a handful of** carrots.
  (彼女は 1 つかみのニンジンを手に取っている)
- There were so many presentations! I was only able to attend **a handful of** them.
  (本当にたくさんのプレゼンテーションがありました！　私はそのうちのほんの一握りにしか出席できませんでした)

908 a series of | 一連の・ひと続きの

- **a series of** meetings
  (一連の会議)
- The U.S. economy should *pick up* after **a series of** interest rate hikes.
  (一連の利上げ後，米国経済は回復するはずだ) ➲(33)

♣ あとには複数名詞がくる。a chain of も同じ意味で使う。 例文の hike は「引き上げ」

909 a stack of | 〔積み重ねた〕(~の)山

- A salesperson is holding **a stack of** books.
  (販売員が本の山を抱えている)

910	**a wealth of**	豊富な, 多量[多数]の

- Ms. Adams comes to us from Crover Communications with **a wealth of** experience.
  (アダムス氏はクロバー・コミュニケーションズでの豊富な経験をもってわが社に来ます)

911	**adjacent to**	(~に)隣接した

- Members can park for FREE in the parking lot **adjacent to** the Museum.
  (会員は博物館に隣接した駐車場に「無料」で駐車できます)

912	**due date**	支払期日

- Please keep in mind that your payment **due date** is on the 2nd of every month.
  (支払期日が毎月2日だということを覚えていてください)

♣ due date は「出産予定日」の意味もある。 ⇒ **be due** (837)

913	**first thing**	まず一番に

- I will call **first thing** in the morning.
  (朝一番に電話します)

♣ 慣用化しているので first でも the をつけないのがふつう。 似たものに first things first「まず重要なことから(順に)」がある。 話の切り出しなどで使う。

914	**halfway through**	(~の)途中で

- The movie was *so* boring *that* I *fell asleep* **halfway through** it.
  (映画はとても退屈で, 途中で眠ってしまった) ➲(304), (550)

♣ halfway は「(場所・時間の)途中(で)・中間(で)」の意味。through のほかに between, across なども使う。

その他（接続表現・会話表現等）

915 **come to think of it** | そういえば，考えてみると

• **Come to think of it**, it might. I'll confirm that with Doug when he comes.
（そういえば，そうかもしれない。ダグが来たら確認してみるよ）

♣ 文の最初に使う。

916 **could use** A | 〈A〉が欲しい・あるとよい，〈A〉が必要だ（= need）

• I **could use** a drink.
（飲み物が欲しいなあ）

• I **could use** your opinion.
（ご意見をいただけるとありがたいのですが）

• Speaking of which, our Web site could use an overhaul *as well*.
（そういえば，わが社のウェブサイトもオーバーホールが必要かもしれない） ➲(234)

♣ 仮定法の could を使った婉曲表現。

917 **have no choice but to** do | （～する）よりしかたがない・（～）せざるを得ない

• Unless you contact me right away to make arrangements to repay this outstanding balance, I will **have no choice but** to notify the major credit reporting agencies.
（この未払い残高を返済するための手配をするために，ご連絡いただけない場合は主要な信用調査機関に通知せざるを得なくなります）

♣ choice のほかに option, alternative なども使える。 ⇒ **be obliged to do** (845)

918 **have yet to** do | まだ（～して）いない

• Several days have passed, and I **have yet to** receive these items.
（数日が過ぎましたが，まだ商品は届いていません）

♣ have not done のかたい言い方。

919 **if you ask me** | 言わせてもらうなら，私に言わせれば

• **If you ask me**, the best game has to be Final Fantasy VII.
（私に言わせれば最高のゲームはファイナル・ファンタジーVIIだよ）

920  **in a timely manner[fashion]**　タイムリーに, 速やかに

- Please let me know if you have any suggestions for resolving this issue **in a timely manner**.
（この問題を速やかに解決するための提案があればお知らせください）

♣ timely は「ちょうどよいとき」という意味だが, 上の表現は as soon as possible (99) のていねい[婉曲]表現であることが多い。 例文はクレームの手紙の一部。

921  **look no further (than)**　〔相手に勧めて〕これがベストです

- Looking for a venue for your next corporate event? Then, **look no further than** Mirelli's.
（次の企業イベントの会場をお探しですか。それなら Mirelli's がベストです）

♣「これ以上を探す必要はありません」という意味。

922  **not that I know of**　私の知る限りではそうではない

- Has the new project manager decided yet? — **Not that I know of**.
（新しいプロジェクトマネージャーは決まったの？ — 私の知る限りではまだです）

923  **unless otherwise noted**　別途記述[規定]のない限り

- All rental prices are per day per person, **unless otherwise noted**.
（別途規定のない限り, レンタル料金はすべて1人1日についてです）

♣ 契約書などで使われる表現。noted のほかに stated, indicated, specified なども使われる。

TOEIC テスト　頻出連語⑩

★は最頻出連語 TOP 50

■ 勤務・休暇

working day　（就業日＝workday）
annual leave　（年次休暇）
paid leave[vacation]　（有給休暇）
sick leave　（病気休暇）

■ 福利厚生・手当

benefit(s) package　（福利厚生，諸手当）
welfare expenses　（福利厚生費）
medical expenses　（医療費）
health care　（健康管理，医療）
medical[physical] checkup　（健康診断）
retirement plan　（退職金制度）
pension plan　（年金計画[制度]）

■ 交通・旅行

public transportation★　（公共交通機関）
round-trip ticket　（往復切符）
one-way ticket　（片道切符）
direct flight　（直行便）
business class　（ビジネスクラス）
boarding pass　（搭乗券）
check-in counter★　（チェックインカウンター，フロント）
check-in baggage★　（預け入れ荷物）
carry-on baggage　（機内持ち込みの手荷物）
baggage claim　（手荷物受取所）
waiting room　（待合室）
lost and found　（遺失物取扱所）
bus service　（バスの便）
shuttle bus　（シャトルバス）

bus station[stop] ★	(バス停)
rush hour	(ラッシュアワー)
traffic jam[congestion]	(交通渋滞)
alternate route	(代替経路)
front desk ★	(フロント，受付)
wake-up call	(モーニングコール)
aisle seat	(通路側の席)
safety seat	(安全シート)
gas station	(ガソリンスタンド)
driver's license	(運転免許)

■娯楽・行事

ticket office	(切符[チケット]売場)
box office ★	(チケット売り場)
information desk	(案内係[所])
theme park	(テーマパーク)
banquet room[hall]	(宴会場)
farewell party[dinner]	(送別会[晩餐会])

■自然・天気・その他

weather report	(天気予報)
greenhouse gas	(温室効果ガス)
weather forecast	(天気予報)
solar panel ★	(ソーラーパネル)
potted plant	(鉢植え植物，盆栽)
fossil fuel	(化石燃料)
plastic bottle	(ペットボトル〔PET bottle〕)
plastic bag	(ビニール袋，レジ袋)
digital camera	(デジタルカメラ)
alarm clock	(目覚まし時計)
power outage[failure]	(停電)
safety[security] measures	(安全[保安]対策)

APPENDIX

TOEIC テストによくでる
ビジネススピーチ
ビジネスレター表現集

1. スピーチ・アナウンスなどの表現

留守番電話

(Hello.) **You've reached** xxx-xxxx.
((もしもし) こちらは xxx-xxxx です)

- Hello. **You've reached** 123-4567. I'm not available right now.
  (もしもし。こちらは 123-4567 です。ただ今電話に出られません)
- You **have reached** the Cartwright Savings & Loan. Our regular business hours are 9:00 A.M. to 5:00 P.M., Monday through Friday.
  (カートライト・セービングス&ローンです。わが社の営業時間は月曜日から金曜日の午前 9 時から午後 5 時までです)

Please leave your 〈name, number, message〉 (after the tone[beep]).
((発信音の後に)あなたの〈名前，電話番号，メッセージ〉をお残しください)

- **Please leave your** name and telephone number. I will get back to you as soon as possible.
  (お名前と電話番号をお残しください。できるだけ早くこちらからお電話いたします)

(Hello.) **This is** 〈name〉 **from** 〈company〉.
(もしもし)(こちらは〈社名〉の〈名前〉です)
(Hello.) **This message is for** 〈name〉.
(もしもし)(このメッセージは〈名前〉さんへのものです)

- Hello, Ms. William. **This is** Terry Roberts **from** ABC Corporation.
  (もしもし，ウィリアムさん。(こちらは)ABC 社のテリー・ロバーツです)
- Hello, **this message is for** Leonard. I'm calling to discuss the upcoming project meeting.
  (レナードへのメッセージです。今度のプロジェクトの打ち合わせのことで電話しています)

I (just) **wanted to** | let you know (that) ....
| give you an update on ....

(…(について)お知らせしたく，お電話しました) ※ let A know(5)

- I just **wanted to** let you know that Dr. Harris had an opening this morning at 10 o'clock.
(ハリス先生が今朝10時に(予約の)空きが出たことをお知らせしたく，お電話しました)
- I **wanted to** give you an update on the status of your order.
(ご注文の現在の状況をお知らせしたく，お電話いたしました)

アナウンス

May I have your attention, please?
(お知らせいたします)
Attention, passengers[shoppers].
(乗客の皆さま[ご来店のお客さま]にご案内いたします)

- Hello, all shoppers. **May I have your attention**, please?
(お買い物のお客さま，こんにちは。皆さまにお知らせいたします[お聞きください])
- **Attention**, passengers. Flight 201 for San Diego is now boarding at gate 7. Please have your boarding pass ready to show at the gate.
(乗客の皆さまにお知らせいたします。サンディエゴ行き201便の搭乗は7番ゲートにて行っております。搭乗券をご用意してゲートでお示しください)

Please | **remember** (that) ....
make sure (that) ....
(…を覚えておいて[お確かめ]ください)　※ make sure[certain] (45)

- **Please remember** that the switch to our new e-mail software will begin at 11:00 P.M. on Sunday, May 2.
(新しいEメールソフトへの切り替えが5月2日日曜日午後11時からということをお忘れなく)
- **Please make sure** your cell phone is turned off before you enter the Hall. (ホールに入る前に携帯電話の電源が切られていることをお確かめください)

We **apologize for** the[any] inconvenience.
(ご不便をおかけして申し訳ございません)　※ apologize (to A) for (21)
We **appreciate your cooperation**[**patience**].
(ご協力に[ご辛抱いただき]感謝いたします)

- The system will be unavailable for approximately three hours. We **apologize for** the inconvenience.
(システムは3時間ほどご利用いただけません。ご不便をおかけして申し訳ございません)

- Passengers may experience delays of one to two hours. We **appreciate your patience** and understanding.
  (お客様には1～2時間の遅れが生じる可能性があります。ご辛抱とご理解をお願いいたします)

If you have any questions, please (feel free to) ask[call, contact] ....
(ご質問がありましたら,（遠慮なく）おたずね[お電話，ご連絡]ください)

※ feel free to do(294)

- **If you have any questions**, please contact our Customer Service department.
  (ご質問がございましたら，どうぞカスタマー・サービスまでご連絡ください)
- **If you have any questions** or concerns, please feel free to respond directly to this e-mail.
  (ご質問やご心配な点がございましたら，このEメールに直接ご返信ください)

For more information (about ...),
To learn more (about ...),
(please) call[contact] 〈name, place〉.
(please) visit[see, check out] 〈website〉.
((…について)さらに詳しくは,
〈名前，場所〉までお電話ください)
〈ウェブサイト〉をご覧ください)

※ check out(152)

- **For more information**, please call either the Public Relations Department or the Sales Department.
  (詳しいことは広報部もしくは営業部までお電話ください)
- **For more information** about Tearson Corporation, please visit www.tearsoncorp.com.
  (ティアソン・コーポレーションについての詳細は www.tearsoncorp.com をご覧ください)
- **To learn more** about our foundation's projects, visit our Web site at www.dolina.com.
  (当財団のプロジェクトの詳細については www.dolina.com をご覧ください)

We invite you to join[visit, take advantage of] ....
(…にご参加[…をお訪ね，ご利用]くださいますようご案内いたします)

※ take advantage of(197)

- **We invite you** to join us for our special Christmas dinner on December 24th and 25th.
  (12月24日と25日のクリスマス特別ディナーにご参加くださいますようご案内いたします)
- **We invite you** to take advantage of a free two-week trial of any of our products.
  (当社製品の2週間無料お試しをご利用くださいますようご案内いたします)

スピーチ

Thank you (all) **for** coming to ....
((皆さま)…においでいただきありがとうございます)

- **Thank you** all **for** coming to this town hall meeting.
  (このタウンホール・ミーティングにお越しいただきありがとうございます)
- **Thank you for** coming to and participating in this conference.
  (本大会にご来場，ご参加いただきありがとうございます)

Welcome / **I** (would like to) **welcome you** **to** 〈place, meeting〉.
(〈場所，会議〉へようこそ)

- **Welcome to** MC International's new employee orientation.
  (MCインターナショナルの新入社員オリエンテーションへようこそ)
- On behalf of the organizing committee, **I welcome you to** the International Conference on Industrial Technology.
  (皆さま，組織委員会を代表して，皆さまを国際工業技術会議に歓迎いたします)

※ on behalf of (271)

I would like[am pleased] to introduce 〈name〉.
(〈名前〉をご紹介いたします)
Please join me in welcoming 〈name〉.
(〈名前〉をお迎えしましょう)

- On behalf of the Dixon Research Institute, **I'm pleased to introduce** Joan McLane.
  (ディクソン研究所を代表して，ジョーン・マクレーンをご紹介します)
- **Please join me in welcoming** our speaker, Mr. John Watt.
  (講師のジョン・ワット氏をお迎えしましょう)

I am honored **It is an honor for me**	**to** be[attend, receive] ....

(出席して[参加して，受けて]光栄です)

- Thank you for the generous introduction, Mr. Rogers. **I am honored to** be here tonight.
  (親切なご紹介をいただきありがとうございます，ロジャーさん。今晩ここにお招きいただき光栄です)
- **It is** truly **a** great **honor for me to** receive this award from such a prestigious organization.
  (非常に由緒ある団体からこの賞をいただき，大変光栄です)

(Today,) **I'd like to talk**[**tell you**] **I'm here to talk**[**tell you**]	about ...

(～について	(本日は)お話ししたいと存じます) お話しするために，ここに参りました)

- Today **I'd like to talk** about our recent research on 3D-image display systems.
  (本日は 3 次元画像表示システムにおける私たちの最近の研究についてお話ししたいと思います)
- **I'm here to talk** about ways to minimize the environmental impact of manufacturing facilities.
  (製造施設が環境に与える影響を最小限に抑える方法についてお話しするために，ここに参りました)

(Today) **I'd like to introduce you to** 〈product〉.
((本日は)〈製品〉をご紹介したいと存じます)
What I'd like to introduce (**to you**) **is** 〈product〉.
(ご紹介したいものは〈製品〉です)

- Today **I'd like to introduce you to** our new watercooling kit, the Bigwater 500.
  (本日はわが社の新しい水冷式キット，ビッグウォーター 500 をご紹介したいと思います)
- **What I'd like to introduce to you is** a new line of products that our company is offering.
  (今回ご紹介したいのは，私たちの会社が提供する新しい製品ラインです)

First(ly), I'd like to talk [tell you, explain, etc.] about ....
（初めに，…についてお話したい[お伝えしたい，ご説明したい，…]と存じます）
※ First(ly) の後には, Second(ly), ..., Finally, ... と続ける。

I'd like to start[begin] by telling[talking, explaining, etc.] ....
（…をお伝えする[お話しする，ご説明する，…]ことから始めたいと存じます）

- **First**, I'd like to tell you a little about the Green Forest Inc.
（最初に，グリーン・フォレスト社について，少しご説明したいと存じます）
- **I would like to start by** reviewing briefly where we got to last year.
（昨年の到達点を概観することから始めたいと思います）

If you have any questions,
feel free to | interrupt me at any time.
| address them to me at any time.
（ご質問がございましたら，途中でいつでも言ってください）

I'll be happy to answer your questions
| at any time.
| after the presentation.
（いつでも | プレゼンテーションの後でご質問にお答えいたします）

In conclusion, I would like to say
[summarize, point out, emphasize] ....
（結論として，…と言いたい[要約したい，指摘したい，強調したい]と思います）
※ in conclusion (871)

I would like to | **finish** | my speech[presentation]
| **conlude** |
by saying[summarizing, pointing out, emphasizing] ...
（私のスピーチ[プレゼンテーション]を，…を言って[要約して，指摘して，強調して]終えたいと思います）

- **In conclusion**, I would like to emphasize the following points: First, ...
（最後に，次のポイントを強調したいと思います：まず，…）
- **I would like to conclude** my presentation by summarizing the key points: ....
（キーポイントを要約して，私のプレゼンテーションを終えたいと思います：…）

2. ビジネスレター表現

書き出し

I am[We are] writing (this letter) **to** inform [inquire, request, etc.] ....
（お知らせ[お尋ねする，ご依頼する]ために（この手紙を）書いております）
※ This (letter) is to inform[inquire, request, etc.] .... とも言うが堅苦しい。

- **I am writing to** inform you that the books you ordered from Miller Publishing have been shipped and should arrive within 10 business days.
（ミラー出版にご注文いただいた書籍は発送され，10 営業日以内に到着する予定であることをお知らせいたします）
- **I am writing to** give you an update on sales so far this year.
（今年の現在までの売上についてお知らせします）
- **I am writing to** follow up on our phone conversation this morning.
（今朝の電話でのお話をフォローするためにお手紙を差し上げます）

※ follow (~) up (753)

I am[We are] pleased[happy, etc.] **to** inform[announce, etc.] ....
（～ということをお知らせできることをうれしく思います[お知らせいたします]）
It is a[my, our] pleasure to inform[announce, etc.] ....
（～ということをお知らせできることをうれしく思います[お知らせいたします]）

- **I am pleased to** inform you of your acceptance to our next series of classes.
（あなたが私どもの次回のクラスに登録されたことをお知らせいたします）
- **We are happy to** announce that we are introducing several new models in June.
（6 月にいくつかの新モデルを売り出すことを発表いたします[お知らせいたします]）
- Artistics, Inc., **is proud to** announce that our store has reopened at a new location, 2416 Whalley Avenue.
（アーティスティックス株式会社は，この度，Whalley Avenue 2416 にて店舗をリニューアルオープンしたことをお知らせいたします）
- **It is our pleasure to** extend to you an offer of employment for the position of Sales Representative in our Marketing Department.
（この度，弊社マーケティング部営業担当としての採用をお知らせできることをうれしく思います）

I[We] regret to inform[tell] you (that) ....
(残念ながら…ということをお知らせいたします)
※ pleased, happy は良い知らせのときに, regret は好ましくない知らせのときに使う。

- **I regret to** inform you that I will not be able to speak at your event on financial management.
(残念ですが，財務管理に関するイベントでお話しすることができません)
- **We regret to** inform you that your proposal does not meet our requirements at this time.
(ご提案は残念ながら当社の現時点の条件には合致しないことをお知らせいたします)

I am applying / **I am writing to apply** **for** (the position of) 〈position〉.
※ apply (to A) for B (22)
(私は〈職名〉に応募いたします)
I am writing in response to your advertisement.
(私は御社の広告を拝見してお手紙を差し上げます)
※ in response to (679)

- **I am applying for** the position of market research analyst that you advertised in today's paper.
(私は貴社が今日の新聞で広告したマーケットリサーチアナリストの職に応募いたします)
- **I am writing to apply for** the teaching position you have recently opened at Bright Academy.
(この度，ブライトアカデミーで募集されている教職に応募するお手紙を差し上げます)
- **I am writing in response to** last Sunday's advertisement **for** the position of Sales Manager in your company.
(先週の日曜日に掲載された，御社の営業部長職募集の広告を拝見してお手紙を差し上げます)

You are (cordially) **invited to** (attend) / **We** (cordially) **invite you to** (attend) 〈meeting, party〉(on 〈date〉 at 〈place〉).
(〈場所〉〈日付〉の〈会議・パーティー〉へ(心より)ご招待いたします)

- **You are** cordially **invited to** attend the Annual General Meeting.
(年次株主総会へのご出席を(心より)お待ちいたします)
- ABC Inc. cordially invites you to a welcome party to meet Mr. Paul Taylor on ... at ....
(ABC 社は，…日…で開催されるポール・テイラー氏の歓迎パーティーへ心からご招待いたします)

（返事の書き出し）

Thank you for your letter (of date) informing[inquiring, requesting, etc.] ....
（〈日付〉の）お知らせの[ご質問の，ご依頼の]お手紙をありがとうございます）
(I'd like to) **thank you for** informing[inquiring, requesting, etc.] ....
（…をお知らせ[ご質問，ご依頼]いただきありがとうございます）

- **Thank you for your letter** of June 8 inquiring about our new model cars.
（小社の新型車についてお尋ねの 6 月 8 日付けのお手紙をありがとうございました）
- **Thank you for your letter** informing me of the status of my order.
（私の注文の状況をお知らせいただきありがとうございます）
- **Thank you for** subscribing to the upcoming Belmont Theatre season!
（ベルモント・シアターの来シーズンにご登録いただきありがとうございます）

I am writing in response to your letter[request, etc.].
（お手紙[ご依頼，…]に応えてお手紙を差し上げます）

- **I am writing in response to** your request for information about our Model XX5.
（モデル XX5 の情報のお求めをいただきお手紙を差し上げます） ※ in response to（679）

本文

（依頼）

(**Could**[**Would**] **you**) **please** do?
（～していただけますか）

- **Please** sign and date the duplicate copy of this agreement and mail it back to me by October 4th.
（10 月 4 日までにこの契約の控えに署名し，日付を入れてご返送ください）
- **Could you please** send me a map of the mall showing any available spaces that might meet my needs?
（私のニーズに合いそうな空きスペースがあれば，モールの地図を送っていただけませんか）
- **Would you please** check the enclosed statement and let us know if there are any discrepancies?
（同封の報告書をチェックしていただき，何か食い違いがありましたらお知らせいただけま

すか）

- **Would you please** let me know when it would be convenient for us to meet?
（お会いするのにご都合の良い日を教えていただけますか）

I[We] would like to ask you to do.
（～してくださいますようお願いいたします）

- **I would like to ask you to** reimburse me for the cost of mailing the defective lamp back to you.
（欠陥ランプの返送費をご返済いただきますようお願いいたします）
- **We would like to ask you to** renew your subscription before April 30th.
（4 月 30 日までに購読の更新をお済ませくださいますようお願いいたします）

I would appreciate ....
（…をいただければ幸いです）
I would appreciate it if you ....
（もし…していただければありがたく存じます）
I would be grateful if you ....
（もし…していただければうれしく存じます）

- **I would appreciate** your comments on this proposal.
（この提案書についてコメントをいただければ幸いです）
- **I would appreciate it if you** could arrange for a meeting to discuss these issues.
（これらの問題について話し合う会議を設定していただければありがたく存じます）
- **We would be grateful if you** could take a little time to fill out the questionnaires and return them to us by May 15th.
（少々お時間を割いてアンケート用紙にご記入いただき，5 月 15 日までに私どもにお戻しいただけましたらうれしく存じます）

(問い合わせ)

Would it be possible to do?
(～することは可能ですか)

- **Would it be possible to** receive these books by December 10th?
(これらの本を12月10日までに受け取ることは可能でしょうか)
- **Would it be possible to** schedule an interview to discuss this with you in further detail?
(この件についてさらに詳しく話し合うために，お会いする日程を決めることは可能でしょうか)

(質問)

If you have any questions, ...
Should you have any questions, ...
(もしご質問がありましたら…)
※ Should you .... はかたい言い方。

- **If you have any questions**, please contact your sales representative, at xxx@xxxxxx.com.
(もしご質問がありましたら，営業担当(xxx-xxxx)までお問い合わせください)
- **Should you have any questions** regarding our services, please contact our office at xxx-xxxx.
(私どものサービスに関するご質問がありましたら，xxx-xxxx までご連絡ください)

(詳細情報)

If you need further[**more, additional**] **information**[**details**], ...
(さらに詳しい情報が必要な場合は，…)

- **If you need further information**, you can always contact us at xxx-xxxx.
(さらに詳しい情報が必要な場合は，いつでも xxx-xxxx までご連絡ください)
- **If you need more details**, please call xxx-1234, or send an email to xxx@xxxxx.com.
(さらに詳細が必要な場合は，電話(xxx-1234)にご連絡いただくか，E メール(xxx@xxxxx.com)をお送りください)

(注意)

Please note that ....
(…ということにご注意ください)

- **Please note** that all company offices will be closed December 24-27.
  (なお，12月24日～27日は全営業所が休業となりますのでご注意ください)
- **Please note** that if you would like to reserve our Plaza, we must receive your fully paid registration by April 28.
  (なお，当プラザをご予約される場合は，4月28日までに参加費を全額お支払いいただく必要があります)

(お詫び)

I am[We are] sorry **I[We] apologize** **Please accept my[our] apology**	**for** ....

(…をお詫びいたします)　　※ apologize (to A) for(21)

- **I am sorry for** the delay in responding to your inquiry.
  (お尋ねにお答えするのが遅れましたことをお詫びいたします)
- **We apologize for** the error and any inconvenience it may have caused.
  (誤りによりご迷惑をおかけしましたことをお詫びいたします)
- **Please accept my apology for** being unable to give you a definitive answer at this time.
  (今のところ最終的なお答えができないことをお詫び申し上げます)
- Again, **we are sorry for** the inconvenience, but we are also hopeful that we can be of service to you again.
  (改めてご迷惑をおかけしてことをお詫びいたしますが，またご利用いただけることを願っております)

(送付・添付)

I am[We are] sending you ....
(…をお送りいたします)

- **We are sending you**, by express mail, several sheets of stickers labeled "organic".
  (「オーガニック」と書かれたステッカーを数枚，速達でお送りします)

I have enclosed ....
Enclosed is ... [... **is enclosed**].
(…を同封いたしました)

- **I have enclosed** a self-addressed stamped envelope for your reply.
  (返信用に切手を貼った自分宛ての封筒を同封いたしました)
  ※ a self-addressed stamped envelope(切手を貼った返信用封筒)
- A summary of my qualifications and working experience **is enclosed**.
  (私の資格と職歴の要約を同封いたします)

I have attached ....
Attached is ... [... **is attached**].
(…を添付いたしました)
(Please) **see the attached file**[**document**] (for ...).
((…については)添付ファイル[文書]をご覧ください)
I am[**We are**] **sending you** ... **as an attachment.**
(…を添付ファイルでお送りいたします) ※ attachment「添付ファイル」

- **Attached are** the minutes of our last meeting.
  (この前の会議の議事録を添付いたします)
- Please **see the attached file** for a complete price list.
  (完全な価格表は添付のファイルをご覧ください)
- I am sending you my résumé as a MS Word attachment.
  (私の履歴書を MS Word の添付ファイルとしてお送りします)

結び

I look forward to ....
(…を(楽しみに)お待ちいたします) ※ look forward to(8)

- **I look forward to** hearing (back) from you soon.
  (すぐにご連絡いただけることを(楽しみに)お待ちいたします)
- **I look forward to** hearing from you after you have reviewed my application and work.
  (私の応募書類と作品を審査していただき，ご連絡がいただけることを楽しみにしています)
- **I look forward to** doing business with you.
  (お取引ができることを(楽しみに)お待ちいたします)

索　　　引

熟語の後の(　)内の数字は見出し語の番号です。数字が斜体のものは解説の欄(♣印)などにある関連語です。数字のないものは「頻出連語」に掲載されている連語です。 右側の数字は掲載ページを表します。 色数字が見出し語, 黒数字が関連語の掲載ページです。

A

B

C

D

H

I

T

U

V

W

Y

〔監修者〕ブルース・ハード
米国生まれ。ハワイ大学卒業。元上智大学国際教養学部教授。

〔編著者〕河上　源一
英語教材出版社の編集長を経て、現在、出版企画・編集会社経営。
『TOEIC®テストに　でる順英単語』シリーズは、累計30万部を超えるベストセラーになる。
その他の著書に、『大学入試に　でる順英単語ストラテジー4000』『CD-ROMでそのまま使える英文メール5000』(以上、KADOKAWA)、『大学入試 頻度順英単語』(桐原書店) など多数。

改訂版　TOEIC®テストに　でる順英熟語

2023年12月18日　初版発行

編著／河上 源一　監修／ブルース・ハード

発行者／山下 直久

発行／株式会社KADOKAWA
〒102-8177　東京都千代田区富士見2-13-3
電話 0570-002-301(ナビダイヤル)

印刷所／株式会社リーブルテック

製本所／株式会社リーブルテック

ISBN 978-4-04-606415-8　C0082